ナンプレのルール

1 すべてのタテ列、ヨコ列に1〜9の数字が1つずつ入ります。

2 太線で囲まれた3×3のブロックにも1〜9の数字が入ります。

初級テクニック

ナンプレをスラスラ解くコツは、マスに注目するのではなく、数字に注目することです。まずは「1」に注目してみましょう。

すでに「1」が入っているタテ列に線を引いてみました。右上の3×3のブロックで、「1」を入れることができるマスは、★印のマスであることがわかりました。

今度はタテ列だけではなくヨコ列にも線を引いてみましょう。2つのブロックで「1」が入るマスがわかります。すでに「1」が入っているブロックには「1」を入れることはできないので注意してください。

3

中級テクニック1

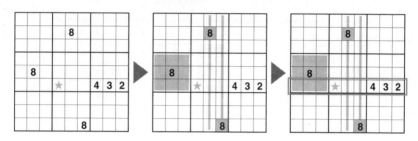

図のような状態のとき、★印のマスが「8」に確定するのですが、その理由がわかるでしょうか?

中段左の「8」の入っている3×3のブロックと、中央の「8」の入っている2つのタテ列には、「8」を入れることはできません。

ここで、★の入っているヨコ列に注目します。★の入っているヨコ列で、「8」が入れられるのは★印のマスだけであることがわかります。

中級テクニック2

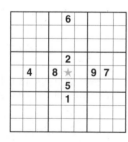

左の問題で★印のマスが「3」に確定するのですが、その理由がわかるでしょうか?

★の入っているタテ列、ヨコ列、中段中央のブロックを見ると、「1」「2」「4」「5」「6」「7」「8」「9」の8種類の数字がすでに入っています。

ということは、残っている「3」が★印のマスに入ることが確定します。

とても単純な解き方ですが、マスの周りをあちこち見回す必要があり、見つけるのが大変です。中級問題では、他のテクニックが使えない場合の有効なテクニックになります。

上級テクニック 「隠れライン」

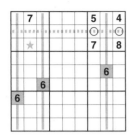

図のような状態のとき、★印のマスが「6」に確定します。
図のようにすでに「6」が入っているタテ列に線を引いてみます。すると、上段右の3×3のブロックで○印をつけた2マスのどちらかに「6」が入ることがわかります。
どちらに入ったとしても、点線を引いたヨコ列にはこれ以上「6」を入れることはできません。
すると、上段左の3×3のブロックで★印のマスが「6」に確定します。

上級テクニック 「2マスの予約」

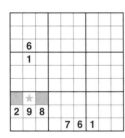

図のような状態のとき、★印のマスが「7」に確定します。
★の入っている下段左の3×3のブロックに注目すると、「6」が入る可能性のあるマスはグレーの2マス、「1」が入る可能性のあるマスもグレーの2マスです。
グレーのマスの片方が「6」になれば、もう片方が「1」になります。「1」ならば「6」になります。つまりこの2マスには「6」「1」以外の他の数字は入れることができません。
この状態で改めて下段左の3×3のブロックに注目してみましょう。★印のマスにしか「7」を入れることができないことがわかりますね。
このように列やブロックで、ある2マスに入る可能性のある数字が2種類であることを利用した解き方を「2マスの予約」と呼びます。

上級テクニック 「3マスの予約」

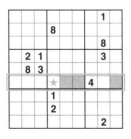

図のような状態のとき、★印のマスが「3」に確定します。
★の入っているヨコ列に注目すると、「8」が入る可能性のあるマスはグレーの3マス、「1」が入る可能性のあるマスもグレーの3マス、「2」が入る可能性のあるマスもグレーの3マスです。つまり、この3マスは「8」「1」「2」の3つの数字で予約されています。この3マスに他の数字は入れることができません。この状態で「3」に注目すると、★印のマスにしか入れることができないことがわかります。
このように列やブロックで、ある3マスに入る可能性のある数字が3種類であることを利用した解き方を「3マスの予約」と呼びます。

難問テクニック 「Xウイング」

	7	9		1		5		
5		4					1	3
1		2	4		5	7		8
				8		3		
4			2		7			1
		6		5				
6	5	1	★		8	4	2	9
2				4			6	3
	4	3		2			1	8

	7	9		1		5		
5		4					1	3
1	A	2	4	B	5	7		8
				8		3		
4	C		2	D	7			1
		6		5				
6	5	1	★		8	4	2	9
2				4			6	(3)
	4	(3)		2			1	8

	7	9		1		5		
5		4					1	3
1	□	2	4	■	5	7		8
				8		3		
4	■		2	□	7			1
		6		5				
6	5	1	★		8	4	2	9
2				4			6	(3)
	4	(3)		2			1	8

図はナンプレを途中まで解き進めた状態です。★印のマスについて考えてみましょう。まずこのマスの候補を調べます。タテの列、ヨコの列、ブロックを調べると、このマスの候補は「3」か「7」のどちらかとなっています。

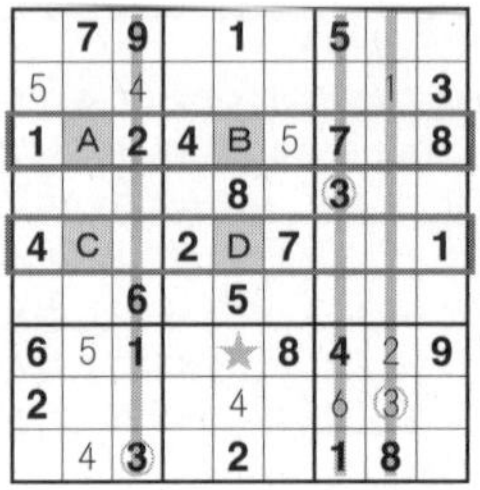

さて、グレーの4マスに注目してみましょう。上から3列目のヨコ列で「3」は、ABのどちらかに入ります。上から5列目のヨコ列では「3」はCDのどちらかに入ります。ということは、もしAが「3」ならDが「3」になることがわかりますね。もしBが「3」ならCが「3」になります。

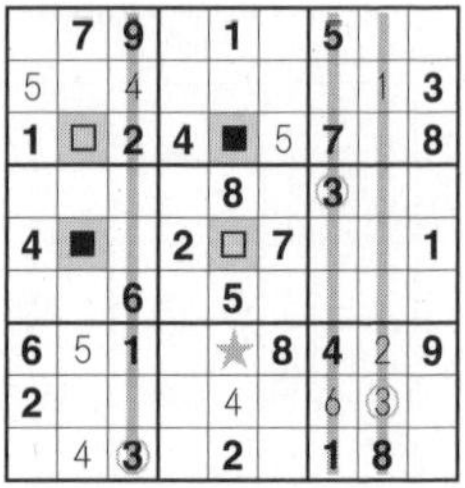

というわけで、■の双方もしくは□の双方に「3」が入るということがわかったので、★印の候補から「3」を削ることができます。★印のマスは「7」に確定しました。
このように、ある候補数字の入れ方の可能性が対角の位置にあることを利用した解き方を「Xウイング」と呼びます。

難問テクニック 「XYウイング」

	1	★	4	5		9	8	6
9	5	6	7	1	8	2	3	4
	8	4	9		6	5	1	7
1	2	8	6	9	7	4	5	3
4	3	5			7	6	9	
		3	4	5	1	2	8	
		1	2		4	3	9	5
5			3	7			4	2
	4		5			7	1	

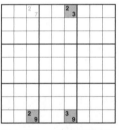

左上を2とすると候補がなくなる

図はナンプレを途中まで解き進めた状態です。★印のマスが「7」に確定するのですが、その理由がわかるでしょうか？
まずこのマスの候補を調べます。タテの列、ヨコの列、周囲のブロックを調べると、このマスの候補は「2」か「7」のどちらかとなっています。

さて、グレーの3マスに注目してみましょう。この3マスの候補は、例えば右上が「3」ならその下は「9」になり、その左が「2」になるという風に関連づいています。一方で、左下が「9」ならその右は「3」となり、右上は「2」になります。また、右上、左下のどちらも「2」になる組み合わせも考えられます。いずれにしても、右上左下のどちらかのグレーのマスには必ず「2」が入ります。

この状態で、もし★印のマスが「2」だったらどうなるでしょうか？ 右上からも左下からも「2」の候補が消え、それぞれが「3」「9」になりますが、右下に入れられる候補がなくなってしまいました。従って、★印のマスは「7」に確定します。
このような、対角線上のどちらかのマスに特定の数字が入ることが決まる3マスの関係を「XYウイング」と呼びます。

6

QUESTION

001

LEVEL ♛♛♛♛♛ TIME 　　分

CHECK 1 2 3 4 5 6 7 8 9

				3				
	8					4	1	
		9	2	8			3	
		5		7				
6		2	9		3	7		8
				4		2		
	7			6	1	3		
	3	4					9	
				9				

001 ヒント

29	25	35	1	●	39	31	54	55
37	●	36	20	7	40	●	●	26
28	27	●	●	●	30	42	●	41
16	47	●	15	●	3	46	18	17
●	10	●	●	2	●	●	9	●
48	49	38	33	●	34	●	14	45
6	●	13	8	●	●	●	12	11
24	●	●	51	4	50	44	●	43
23	22	21	5	●	32	53	52	19

●本書の使い方

・問題と同じページにある「ヒント」は、埋めやすいマスが順番に数字で書いてあります。このヒント以外の解き方もありますが、行き詰まった際の参考にしてください。

・解答は問題の2ページ後に掲載しています。

QUESTION

002

LEVEL ♛♛♛♛♛ TIME 分

CHECK 1 2 3 4 5 6 7 8 9

				8				
		2	4		5	7		
	9					4	3	
	2			7			8	
3			6		2			7
	6			3			4	
	7	5					9	
		9	8		7	2		
				4				

002 ヒント

28	14	24	43	●	42	31	2	19
29	6	●	●	17	●	●	32	16
27	●	30	50	49	46	●	●	15
36	●	12	39	●	3	9	●	11
●	25	26	●	38	●	18	33	●
37	●	13	35	●	5	34	●	1
52	●	●	47	45	44	55	●	10
23	22	●	●	48	●	●	41	8
51	53	7	40	●	21	54	4	20

QUESTION

003

LEVEL 👑👑👑👑👑 TIME　分

CHECK 1 2 3 4 5 6 7 8 9

				4	5			
		1		2		9		
	7		8			2	6	
		5						9
9	1						5	3
6						8		
	9	7			1		4	
		4		6		1		
			2	5				

003 ヒント

45	23	32	30	●	●	54	43	55
53	49	●	31	●	34	●	44	51
52	●	29	●	13	35	●	●	50
4	25	●	14	27	18	16	21	●
●	●	22	15	11	19	17	●	●
●	12	26	3	28	20	●	41	42
7	●	●	9	8	●	5	●	6
47	46	●	36	●	37	●	40	24
1	33	48	●	●	2	38	10	39

001 解答

4	2	7	1	3	6	5	8	9
3	8	6	7	5	9	4	1	2
1	5	9	2	8	4	6	3	7
8	1	5	6	7	2	9	4	3
6	4	2	9	1	3	7	5	8
7	9	3	5	4	8	2	6	1
9	7	8	4	6	1	3	2	5
5	3	4	8	2	7	1	9	6
2	6	1	3	9	5	8	7	4

9

QUESTION

004

LEVEL　TIME　分

CHECK 1 2 3 4 5 6 7 8 9

		2		4			7	
	3	1	8		7	6		
		4	6		2	1		
	2						3	
		5	1		3	4		
		3	4		9	5	6	
	9			2		7		

004 ヒント

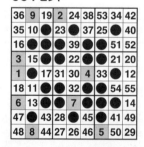

36	9	19	2	24	38	53	34	42
35	10	●	23	●	37	25	●	40
16	●	●	●	39	●	●	51	52
3	15	●	●	22	●	●	21	20
1	●	17	31	30	4	33	●	12
18	11	●	●	32	●	●	54	55
6	13	●	●	7	●	●	●	14
47	●	43	28	●	45	●	41	49
48	8	44	27	26	46	5	50	29

002 解答

7	5	4	3	8	6	1	2	9
1	3	2	4	9	5	7	6	8
8	9	6	7	2	1	4	3	5
5	2	1	9	7	4	3	8	6
3	4	8	6	5	2	9	1	7
9	6	7	1	3	8	5	4	2
6	7	5	2	1	3	8	9	4
4	1	9	8	6	7	2	5	3
2	8	3	5	4	9	6	7	1

QUESTION

005

LEVEL ♛♛♛♛♛ TIME 分

CHECK 1 2 3 4 5 6 7 8 9

						8		
		4		5		9		
	9				1		3	7
				2	8	7		
	3		5		6		2	
		8	9	1				
5	4		2				1	
		1		9		4		
		2						

005 ヒント

30	29	50	39	36	5	●	45	44
37	51	●	40	●	6	●	10	11
15	●	8	16	17	●	3	●	●
28	27	14	19	●	●	●	13	22
23	●	24	●	21	●	7	●	4
32	31	●	●	●	20	43	42	41
●	●	38	●	9	48	33	●	26
53	49	●	35	●	12	●	54	2
25	52	●	1	47	18	34	55	46

003 解答

3	2	6	9	4	5	7	1	8
8	5	1	6	2	7	9	3	4
4	7	9	8	1	3	2	6	5
7	8	5	1	3	6	4	2	9
9	1	2	4	7	8	6	5	3
6	4	3	5	9	2	8	7	1
2	9	7	3	8	1	5	4	6
5	3	4	7	6	9	1	8	2
1	6	8	2	5	4	3	9	7

QUESTION

006

LEVEL ★★★★☆ TIME 分

CHECK 1 2 3 4 5 6 7 8 9

				2		4		
		5	6		1			
	3		8					9
	9	7	3				2	
8								1
	5				2	7	9	
7					6		1	
			1		8	2		
		6		3				

006 ヒント

15	8	14	45	●	3	●	42	39
28	13	●	●	31	●	43	25	2
27	●	26	●	40	44	1	9	●
21	●	●	●	17	5	11	●	36
●	20	19	46	7	51	35	32	●
12	●	16	4	50	●	●	●	22
●	52	29	41	48	●	24	●	34
23	6	53	●	47	●	●	38	10
37	18	●	30	●	33	55	54	49

004 解答

6	4	7	2	3	1	9	8	5
8	5	2	9	4	6	3	7	1
9	3	1	8	5	7	6	4	2
3	8	4	6	9	2	1	5	7
1	2	9	5	7	4	8	3	6
7	6	5	1	8	3	4	2	9
2	7	3	4	1	9	5	6	8
5	9	6	3	2	8	7	1	4
4	1	8	7	6	5	2	9	3

QUESTION

007

LEVEL ♛♛♛♛♕ TIME 分

CHECK 1 2 3 4 5 6 7 8 9

6								1
	1			4				
		3	7		2	4		
		2	1		6	9		
	7						1	
		5	8		7	3		
		8	5		1	6		
				2			9	
5								4

007 ヒント

●	48	9	39	10	38	16	17	●
13	●	14	6	●	40	37	36	49
47	43	●	●	1	●	●	29	50
52	51	●	●	45	●	●	31	18
46	●	53	3	44	4	30	●	28
2	27	●	●	11	●	●	32	33
55	54	●	●	8	●	●	34	35
15	25	26	5	●	24	20	●	22
●	12	21	42	7	41	19	23	●

005 解答

2	1	7	6	3	9	8	5	4
3	8	4	7	5	2	9	6	1
6	9	5	8	4	1	2	3	7
1	5	6	4	2	8	7	9	3
4	3	9	5	7	6	1	2	8
7	2	8	9	1	3	5	4	6
5	4	3	2	8	7	6	1	9
8	6	1	3	9	5	4	7	2
9	7	2	1	6	4	3	8	5

QUESTION

008

LEVEL ♛♛♛♛♕ TIME 分

CHECK 1 2 3 4 5 6 7 8 9

5		2						7
	8						1	
9		6		1		2		
				6	8			
		7	9		1	3		
			4	2				
		1		4		9		5
	7						2	
8						6		1

008 ヒント

●	1	●	29	8	30	10	26	●
3	●	16	14	27	13	11	●	25
●	15	●	33	●	34	●	22	20
39	49	51	31	●	●	37	46	24
40	41	●	●	12	●	●	48	23
45	50	4	●	●	32	38	47	28
42	44	●	7	●	54	●	6	●
52	●	36	2	17	55	9	●	19
●	53	21	35	5	43	●	18	●

006 解答

1	6	8	9	2	3	4	7	5
9	7	5	6	4	1	8	3	2
2	3	4	8	5	7	1	6	9
4	9	7	3	1	5	6	2	8
8	2	3	7	6	9	5	4	1
6	5	1	4	8	2	7	9	3
7	8	2	5	9	6	3	1	4
3	4	9	1	7	8	2	5	6
5	1	6	2	3	4	9	8	7

QUESTION

009

LEVEL ♛♛♛♛♕ TIME 分

CHECK 1 2 3 4 5 6 7 8 9

3								8
	6			2		3		
					9	7	6	
			4	9		6		
	5		6		3		1	
		7		8	5			
	2	9	3					
		1		4			2	
8								1

009 ヒント

●	35	3	38	9	19	1	40	●
26	●	42	36	●	16	●	39	33
27	22	41	37	4	●	●	●	2
21	20	8	●	●	14	●	47	43
17	●	25	●	11	●	12	●	48
5	24	●	15	●	●	13	32	31
45	●	●	●	7	52	34	23	49
46	29	●	55	●	54	44	●	50
●	28	6	18	10	53	51	30	●

007 解答

6	9	4	3	8	5	2	7	1
2	1	7	6	4	9	5	3	8
8	5	3	7	1	2	4	6	9
4	8	2	1	3	6	9	5	7
3	7	9	2	5	4	8	1	6
1	6	5	8	9	7	3	4	2
9	4	8	5	7	1	6	2	3
7	3	6	4	2	8	1	9	5
5	2	1	9	6	3	7	8	4

QUESTION

010

LEVEL ♛♛♛♛♛ TIME 分

CHECK 1 2 3 4 5 6 7 8 9

9				6				
						1	5	
		1	4			9	3	
		4		7	2			
8			6		5			7
			1	8		6		
	9	5			4	2		
	4	8						
				2				3

010 ヒント

●	7	34	39	●	1	50	51	14
4	37	38	52	53	33	●	●	22
23	19	●	●	6	40	●	●	20
42	24	●	29	●	●	54	49	55
●	26	43	●	5	●	8	21	●
41	35	36	●	●	30	●	15	44
3	●	●	12	9	●	●	11	13
2	●	●	32	31	10	45	46	47
27	28	25	17	●	18	16	48	●

008 解答

5	1	2	6	8	3	4	9	7
7	8	3	2	9	4	5	1	6
9	4	6	7	1	5	2	8	3
1	5	9	3	6	8	7	4	2
4	2	7	9	5	1	3	6	8
3	6	8	4	2	7	1	5	9
2	3	1	8	4	6	9	7	5
6	7	5	1	3	9	8	2	4
8	9	4	5	7	2	6	3	1

QUESTION
011

LEVEL ♛♛♛♛♛ TIME 分

CHECK 1 2 3 4 5 6 7 8 9

5								6
	9			1			2	
		7		8	3	5		
			3			8		
	5	2				1	9	
		9			7			
		6	5	2		4		
	8			4			1	
2								5

011 ヒント

●	24	46	31	18	32	5	43	●
37	●	45	7	●	3	20	●	44
9	8	●	6	●	●	●	10	1
29	17	36	●	13	30	●	15	42
48	●	●	33	16	34	●	●	41
23	47	●	25	14	●	39	22	38
50	51	●	●	●	26	●	54	55
52	●	4	19	●	12	49	●	40
●	35	28	27	2	11	21	53	●

009 解答

3	7	2	5	6	4	1	9	8
9	6	8	7	2	1	3	5	4
4	1	5	8	3	9	7	6	2
1	8	3	4	9	2	6	7	5
2	5	4	6	7	3	8	1	9
6	9	7	1	8	5	2	4	3
5	2	9	3	1	6	4	8	7
7	3	1	9	4	8	5	2	6
8	4	6	2	5	7	9	3	1

QUESTION

012

LEVEL ♛♛♛♛♛ TIME 分

CHECK 1 2 3 4 5 6 7 8 9

		6		2		8		
	3			5			1	
5			1			2		6
		3						
7	4						5	1
						4		
4		2			1			9
	7			3			2	
		1		9		5		

012 ヒント

50	51	●	41	●	40	●	25	4
2	●	21	31	●	30	22	●	19
●	9	20	●	26	23	●	24	●
46	48	●	35	53	34	17	44	6
●	●	49	39	27	38	18	●	●
47	7	13	43	52	42	●	45	5
●	12	●	28	29	●	8	11	●
55	●	54	33	●	32	1	●	16
3	10	●	37	●	36	●	15	14

010 解答

9	5	3	2	6	1	7	8	4
4	2	7	8	9	3	1	5	6
6	8	1	4	5	7	9	3	2
5	6	4	3	7	2	8	1	9
8	1	9	6	4	5	3	2	7
7	3	2	1	8	9	6	4	5
3	9	5	7	1	4	2	6	8
2	4	8	9	3	6	5	7	1
1	7	6	5	2	8	4	9	3

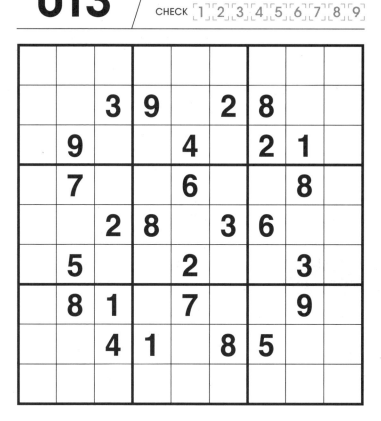

QUESTION

013

LEVEL ♛♛♛♛♕ TIME 分

CHECK 1 2 3 4 5 6 7 8 9

		3	9		2	8		
	9			4		2	1	
	7			6			8	
		2	8		3	6		
	5			2			3	
	8	1		7			9	
		4	1		8	5		

013 ヒント

43	45	46	23	3	37	20	28	21
25	27	●	●	7	●	●	53	52
39	●	38	35	●	36	●	●	22
2	●	10	8	●	6	9	●	1
34	42	●	●	17	●	●	55	54
41	●	40	33	●	32	24	●	44
12	●	●	13	●	31	19	●	29
18	48	●	●	14	●	●	49	51
47	15	26	30	11	16	5	50	4

011 解答

5	1	8	2	7	4	9	3	6
4	9	3	6	1	5	7	2	8
6	2	7	9	8	3	5	4	1
1	6	4	3	9	2	8	5	7
7	5	2	4	6	8	1	9	3
8	3	9	1	5	7	2	6	4
3	7	6	5	2	1	4	8	9
9	8	5	7	4	6	3	1	2
2	4	1	8	3	9	6	7	5

QUESTION

014

LEVEL ♛♛♛♛♛ TIME 分

CHECK 1 2 3 4 5 6 7 8 9

	6				1			
9		7				5	2	
	2		7				9	
		4		3				6
			8		4			
1				6		8		
	8				2		6	
	4	6				1		2
			5				7	

014 ヒント

30	●	21	44	45	●	34	35	33
●	25	●	4	19	28	●	●	32
31	●	24	●	20	29	1	●	26
5	51	●	8	●	48	10	11	●
2	23	41	●	43	●	53	9	52
●	50	42	49	●	22	●	40	36
14	●	47	7	18	●	38	●	12
13	●	●	15	54	55	●	16	●
6	46	27	●	17	3	37	●	39

012 解答

1	9	6	7	2	3	8	4	5
2	3	4	6	5	8	9	1	7
5	8	7	1	4	9	2	3	6
8	1	3	4	6	5	7	9	2
7	4	9	3	8	2	6	5	1
6	2	5	9	1	7	4	8	3
4	5	2	8	7	1	3	6	9
9	7	8	5	3	6	1	2	4
3	6	1	2	9	4	5	7	8

QUESTION

015

LEVEL ♛♛♛♛♛ TIME 分

CHECK 1 2 3 4 5 6 7 8 9

	2						9	5
9						6		8
		3		5		2	7	
			4		7			
		1				9		
			2		8			
	1	7		2		5		
8		5						2
4	3						6	

015 ヒント

4	●	28	39	23	24	37	●	●
●	3	8	52	36	1	●	38	●
5	27	●	53	●	51	●	●	9
16	29	31	●	33	●	41	11	42
12	15	●	47	35	48	●	10	19
17	18	32	●	34	●	14	13	30
7	●	●	22	●	46	●	26	45
●	6	●	50	25	43	21	44	●
●	●	2	49	54	55	20	●	40

013 解答

1	2	6	3	8	5	7	4	9
7	4	3	9	1	2	8	5	6
8	9	5	6	4	7	2	1	3
3	7	9	5	6	1	4	8	2
4	1	2	8	9	3	6	7	5
6	5	8	7	2	4	9	3	1
5	8	1	2	7	6	3	9	4
9	6	4	1	3	8	5	2	7
2	3	7	4	5	9	1	6	8

QUESTION

016

LEVEL ♛♛♛♛♛ TIME 分

CHECK 1 2 3 4 5 6 7 8 9

		2				4		
				5			8	
8			4	2		3		1
		4			8			
	7	3				9	1	
			3			2		
4		1		6	5			3
	5			9				
		7				8		

016 ヒント

32	13	●	33	10	30	●	43	47
31	4	15	44	●	14	7	●	2
●	16	17	●	●	45	●	46	●
52	51	●	50	48	●	5	3	35
21	●	●	6	19	20	●	●	9
18	53	24	●	49	34	●	39	40
●	23	●	29	●	●	8	42	●
12	●	22	25	●	26	1	37	38
55	54	●	28	11	27	●	36	41

014 解答

3	6	5	2	9	1	7	4	8
9	1	7	6	4	8	5	2	3
4	2	8	7	5	3	6	9	1
8	9	4	1	3	7	2	5	6
6	5	3	8	2	4	9	1	7
1	7	2	9	6	5	8	3	4
7	8	9	4	1	2	3	6	5
5	4	6	3	7	9	1	8	2
2	3	1	5	8	6	4	7	9

	6		8				5	
4				1				9
			6	2	3			
1						9		
	7	3				5	4	
		2						1
		1	2	7				
2				5				8
	5				4		1	

017 ヒント

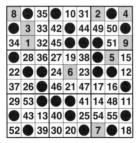

015 解答

7	2	6	1	8	4	3	9	5
9	5	4	7	3	2	6	1	8
1	8	3	9	5	6	2	7	4
5	6	8	4	9	7	1	2	3
2	4	1	3	6	5	9	8	7
3	7	9	2	1	8	4	5	6
6	1	7	8	2	3	5	4	9
8	9	5	6	4	1	7	3	2
4	3	2	5	7	9	8	6	1

QUESTION

018

LEVEL ♛♛♛♛♛ TIME 分

CHECK 1 2 3 4 5 6 7 8 9

	5						1	
6	3			8				4
		4		1		2		
			8		3			
	9	5				3	8	
			1		9			
		6		4		1		
2				3			6	7
	4						3	

018 ヒント

46	●	2	33	43	35	28	●	48
●	●	1	41	●	42	27	49	●
47	11	●	32	●	31	●	45	34
15	21	9	●	25	●	22	19	17
16	●	●	36	40	39	●	●	24
12	20	4	●	29	●	14	13	23
3	10	●	44	●	50	●	26	53
●	7	54	51	●	37	5	●	●
6	●	55	30	38	8	52	●	18

016 解答

7	3	2	6	8	1	4	5	9
1	4	9	7	5	3	6	8	2
8	6	5	4	2	9	3	7	1
2	1	4	9	7	8	5	3	6
6	7	3	5	4	2	9	1	8
5	9	8	3	1	6	2	4	7
4	8	1	2	6	5	7	9	3
3	5	6	8	9	7	1	2	4
9	2	7	1	3	4	8	6	5

QUESTION

019

LEVEL ♛♛♛♛♛ TIME 分

CHECK 1 2 3 4 5 6 7 8 9

				5			9	7
	3				7			1
			3		1	5		
		2				9	6	
9								5
	4	8				1		
		6	7		5			
8			9				2	
1	2			6				

019 ヒント

42	33	27	39	●	51	4	●	●
50	●	45	41	55	●	10	44	●
14	52	53	●	54	●	●	43	11
15	35	●	46	16	28	●	●	30
●	34	20	37	40	38	29	18	●
36	●	●	47	17	6	●	19	9
21	7	●	●	3	●	31	1	32
●	48	49	●	2	25	12	●	22
●	●	26	24	●	23	13	5	8

017 解答

3	6	7	8	4	9	1	5	2
4	2	8	3	1	5	6	7	9
5	1	9	7	6	2	3	8	4
1	8	5	4	3	6	9	2	7
9	7	3	1	2	8	5	4	6
6	4	2	5	9	7	8	3	1
8	9	1	2	7	3	4	6	5
2	3	4	6	5	1	7	9	8
7	5	6	9	8	4	2	1	3

QUESTION

020

LEVEL ♛♛♛♛♛ TIME 分

CHECK 1 2 3 4 5 6 7 8 9

				1				
		6	8			2	3	
	1		4		5		9	
	3	1				5		
4								3
		5				6	2	
	8		2		3		4	
	9	2			4	7		
				8				

020 ヒント

53	12	52	15	●	20	5	40	41
8	6	●	●	45	44	●	●	1
23	●	16	●	13	●	26	●	21
11	●	●	22	18	29	●	46	47
●	10	51	38	42	14	31	30	●
50	25	●	43	17	28	●	●	19
33	●	24	●	36	●	55	●	39
4	●	●	27	37	●	●	35	54
34	9	7	48	●	49	3	32	2

018 解答

7	5	2	3	9	4	6	1	8
6	3	1	7	8	2	5	9	4
9	8	4	5	1	6	2	7	3
4	6	7	8	5	3	9	2	1
1	9	5	4	2	7	3	8	6
8	2	3	1	6	9	7	4	5
3	7	6	2	4	8	1	5	9
2	1	8	9	3	5	4	6	7
5	4	9	6	7	1	8	3	2

QUESTION
021

LEVEL　TIME　分

CHECK 1 2 3 4 5 6 7 8 9

						7		
	4	5		1	3		8	
	9			2				1
					2		3	
	1	9				5	4	
	3		1					
6				9			2	
	8		5	4		3	7	
		4						

021 ヒント

20	9	25	42	54	55	●	15	4
12	●	●	27	●	●	38	●	37
26	●	22	16	●	14	5	28	●
43	10	50	40	47	●	1	●	53
45	●	●	49	24	34	●	●	52
44	●	51	●	48	41	33	39	46
●	8	19	23	●	17	13	●	6
29	●	30	●	●	18	●	●	32
21	11	●	3	35	36	31	2	7

019 解答

4	8	1	2	5	6	3	9	7
6	3	5	4	9	7	2	8	1
2	7	9	3	8	1	5	4	6
7	1	2	5	3	8	9	6	4
9	6	3	1	4	2	8	7	5
5	4	8	6	7	9	1	3	2
3	9	6	7	2	5	4	1	8
8	5	7	9	1	4	6	2	3
1	2	4	8	6	3	7	5	9

QUESTION

022

LEVEL ♛♛♛♛♕ TIME 分

CHECK 1 2 3 4 5 6 7 8 9

	2				1		5	
6				2				3
		5				8		
				1	9			4
	6		4		7		2	
3			2	5				
		3				1		
9				8				7
	4		7				3	

022 ヒント

24	●	26	7	49	●	52	●	45
●	32	27	38	●	39	25	33	●
31	3	●	50	48	23	●	51	2
10	22	11	40	●	●	8	42	●
28	●	30	●	6	●	35	●	34
●	29	5	●	●	41	53	54	55
15	18	●	46	20	19	●	44	36
●	9	14	1	●	4	12	13	●
16	●	17	●	47	37	43	●	21

020 解答

9	2	8	3	1	6	4	5	7
5	4	6	8	9	7	2	3	1
7	1	3	4	2	5	8	9	6
2	3	1	6	4	8	5	7	9
4	6	9	5	7	2	1	8	3
8	7	5	9	3	1	6	2	4
1	8	7	2	6	3	9	4	5
3	9	2	1	5	4	7	6	8
6	5	4	7	8	9	3	1	2

QUESTION

023

LEVEL TIME 分

CHECK 1 2 3 4 5 6 7 8 9

	3			5			1	
7						4		9
					7	2	5	
			8		4	5		
6				3				7
		4	1		6			
	9	8	2					
2		5						4
	4			8			9	

023 ヒント

51	●	43	54	●	29	7	●	27
●	4	45	20	39	40	●	28	●
50	36	52	53	44	●	●	●	21
47	37	19	●	48	●	●	11	10
●	34	35	16	●	38	33	2	●
5	46	●	●	49	●	22	12	32
26	●	●	●	3	24	9	8	6
●	13	●	18	41	42	30	23	●
25	●	17	14	●	15	31	●	1

021 解答

1	2	6	4	8	9	7	5	3
7	4	5	6	1	3	2	8	9
8	9	3	7	2	5	4	6	1
4	6	7	9	5	2	1	3	8
2	1	9	8	3	6	5	4	7
5	3	8	1	7	4	6	9	2
6	5	1	3	9	7	8	2	4
9	8	2	5	4	1	3	7	6
3	7	4	2	6	8	9	1	5

QUESTION
024

LEVEL ♛♛♛♛♛ TIME 分

CHECK 1 2 3 4 5 6 7 8 9

5								2
	8		2		6		5	
			8		1	9		
	6	4				3	1	
				7				
	5	9				7	6	
		8	3		4			
	7		1		8		4	
6								3

024 ヒント

●	31	30	53	26	54	24	36	●
16	●	35	●	27	●	25	●	21
15	22	34	●	3	●	●	37	29
6	●	●	42	7	8	●	●	40
10	33	32	4	●	41	47	48	28
9	●	●	5	1	12	●	●	11
19	17	●	●	50	●	39	45	38
14	●	13	●	49	●	44	●	46
●	2	18	43	52	51	20	23	●

022 解答

4	2	8	3	7	1	9	5	6
6	9	7	5	2	8	4	1	3
1	3	5	9	6	4	8	7	2
5	7	2	8	1	9	3	6	4
8	6	9	4	3	7	5	2	1
3	1	4	2	5	6	7	8	9
7	8	3	6	4	2	1	9	5
9	5	6	1	8	3	2	4	7
2	4	1	7	9	5	6	3	8

QUESTION

025

LEVEL ♛♛♛♛♕ TIME 分

CHECK 1 2 3 4 5 6 7 8 9

5				2		9		1
							3	
			5		6			4
		1		3		4		
9			6	5	4			3
		2		8		6		
8			2		1			
	3							
1		9		7				5

025 ヒント

●	27	24	20	●	43	●	34	●
16	23	41	50	21	49	5	●	15
33	42	12	●	22	●	39	40	●
10	6	●	47	●	2	●	46	44
●	32	31	●	●	●	37	38	●
3	4	●	1	●	48	●	7	45
●	29	9	●	30	●	11	26	54
25	●	28	51	52	8	35	36	17
●	13	●	18	●	19	53	14	●

023 解答

4	3	2	9	5	8	7	1	6
7	5	6	3	2	1	4	8	9
8	1	9	4	6	7	2	5	3
9	2	3	8	7	4	5	6	1
6	8	1	5	3	2	9	4	7
5	7	4	1	9	6	3	2	8
1	9	8	2	4	3	6	7	5
2	6	5	7	1	9	8	3	4
3	4	7	6	8	5	1	9	2

QUESTION
026

LEVEL ♛♛♛♛ TIME 分

CHECK 1 2 3 4 5 6 7 8 9

	3				8	7	6	
		6	1	7			2	
		2		6			1	
		3	4	8	7	2		
	4			1		3		
	1			9	3	4		
	9	4	2				3	

026 ヒント

17	41	35	14	4	33	37	9	23
11	●	36	34	5	●	●	●	42
40	25	●	●	●	10	43	●	6
28	30	●	3	●	32	22	●	8
1	19	●	●	●	●	●	44	45
29	●	26	31	●	2	●	21	20
15	●	47	51	●	●	●	53	18
24	●	●	●	13	39	50	●	27
7	16	48	52	12	49	46	54	38

024 解答

5	1	6	7	4	9	8	3	2
9	8	7	2	3	6	4	5	1
4	2	3	8	5	1	9	7	6
7	6	4	9	8	2	3	1	5
8	3	1	6	7	5	2	9	4
2	5	9	4	1	3	7	6	8
1	9	8	3	6	4	5	2	7
3	7	5	1	2	8	6	4	9
6	4	2	5	9	7	1	8	3

QUESTION

027

LEVEL　　TIME　　分

CHECK 1 2 3 4 5 6 7 8 9

		1	4	9		6		
5					8	9		7
9				4		7		
7			6	5	9			2
		4		1				6
4		2	1					5
		7		8	5	4		

027 ヒント

28	27	●	●	●	30	●	8	19
46	47	12	7	25	1	18	20	4
●	5	36	29	26	●	●	2	●
●	45	48	32	●	31	●	22	15
●	14	49	●	●	●	21	3	●
37	33	●	23	●	24	9	10	●
●	11	●	●	38	13	53	52	●
44	41	43	50	34	6	16	39	54
17	40	●	51	●	●	●	35	42

025 解答

5	6	4	3	2	8	9	7	1
2	1	8	9	4	7	5	3	6
7	9	3	5	1	6	2	8	4
6	5	1	7	3	2	4	9	8
9	8	7	6	5	4	1	2	3
3	4	2	1	8	9	6	5	7
8	7	5	2	6	1	3	4	9
4	3	6	8	9	5	7	1	2
1	2	9	4	7	3	8	6	5

QUESTION
028

LEVEL ♛♛♛♛♛ TIME 分

CHECK 1 2 3 4 5 6 7 8 9

			1		9	6		
				8		1	5	
							3	4
1				4				5
	6		2	5	3		9	
3				1				2
6	8							
	2	7		3				
		5	7		6			

028 ヒント

8	17	18	●	12	●	●	15	16
7	47	10	3	●	5	●	●	39
40	21	46	14	9	13	38	●	●
●	41	2	54	●	50	4	52	●
48	●	45	●	●	●	43	●	1
●	6	49	53	●	42	44	51	●
●	●	20	28	32	25	30	36	24
35	●	●	27	●	22	26	33	11
34	19	●	●	31	●	29	23	37

026 解答

2	7	9	6	3	5	1	4	8
4	3	1	9	2	8	7	6	5
5	8	6	1	7	4	9	2	3
7	5	2	3	6	9	8	1	4
1	6	3	4	8	7	2	5	9
9	4	8	5	1	2	3	7	6
6	1	5	7	9	3	4	8	2
8	9	4	2	5	1	6	3	7
3	2	7	8	4	6	5	9	1

QUESTION

029

LEVEL ♛♛♛♛♛ TIME 　分

CHECK 1 2 3 4 5 6 7 8 9

		1	3			2		
			8		7			
8				1		5		3
5	1						2	
		9		3		4		
	6						9	1
2		6		9				4
			2		5			
		5			4	1		

029 ヒント

41	26	●	●	20	22	●	23	12
34	24	37	●	17	●	44	1	43
●	42	18	21	●	16	●	25	●
●	●	33	50	40	49	31	●	30
14	9	●	13	●	6	●	11	8
38	●	39	10	48	19	32	●	●
●	51	●	5	●	4	29	7	●
2	28	27	●	46	●	53	36	54
52	35	●	15	47	●	●	45	3

027 解答

2	7	1	4	9	3	6	5	8
6	8	9	5	7	1	2	3	4
5	4	3	2	6	8	9	1	7
9	5	6	3	4	2	7	8	1
7	1	8	6	5	9	3	4	2
3	2	4	8	1	7	5	9	6
4	9	2	1	3	6	8	7	5
8	3	5	7	2	4	1	6	9
1	6	7	9	8	5	4	2	3

QUESTION

030

LEVEL ♛♛♛♛♛ TIME 分

CHECK 1 2 3 4 5 6 7 8 9

	1							
3				1		7	9	
		5			4	8	2	
				8		3		
	8		1	7	9		5	
		2		4				
	3	9	2			6		
	4	1		9				2
							7	

030 ヒント

42	●	38	45	3	31	9	16	17
●	4	10	35	●	44	●	●	18
43	27	●	39	25	●	●	●	1
33	52	28	30	●	2	●	48	47
14	●	7	●	●	●	5	●	15
32	51	●	24	●	29	49	34	46
36	●	●	●	11	22	●	53	50
26	●	●	41	●	40	12	19	●
6	13	37	8	20	21	23	●	54

028 解答

5	4	3	1	7	9	6	2	8
2	9	6	3	8	4	1	5	7
7	1	8	5	6	2	9	3	4
1	7	2	9	4	8	3	6	5
8	6	4	2	5	3	7	9	1
3	5	9	6	1	7	4	8	2
6	8	1	4	9	5	2	7	3
9	2	7	8	3	1	5	4	6
4	3	5	7	2	6	8	1	9

QUESTION
031

LEVEL ♛♛♛♛♛ TIME 分

CHECK 1 2 3 4 5 6 7 8 9

			3		6			
						6	4	
			5	1	4		3	
7		6				5		4
		8		2		9		
4		9				1		8
	1		2	3	9			
	9	2						
			8		5			

031 ヒント

50	23	35	●	26	●	43	49	47
51	25	34	19	27	2	●	●	36
52	24	21	●	●	●	28	●	48
●	12	●	16	17	15	●	10	●
1	6	●	4	●	14	●	8	3
●	11	●	7	5	13	●	9	●
42	●	45	●	●	●	31	53	40
44	●	●	20	38	18	30	46	41
33	22	32	●	39	●	29	37	54

029 解答

6	7	1	3	5	9	2	4	8
3	5	4	8	2	7	9	1	6
8	9	2	4	1	6	5	7	3
5	1	3	9	4	8	6	2	7
7	2	9	6	3	1	4	8	5
4	6	8	5	7	2	3	9	1
2	8	6	1	9	3	7	5	4
1	4	7	2	6	5	8	3	9
9	3	5	7	8	4	1	6	2

QUESTION

032

LEVEL ♛♛♛♛♛ TIME 分

CHECK 1 2 3 4 5 6 7 8 9

7								
		5		4		2		
	9		3		7		1	
		3	5		6	9		
	6			3			4	
		9	4		2	1		
	4		9		5		3	
		1		6		7		
								2

032 ヒント

●	38	37	10	8	29	4	18	47
28	33	●	12	●	30	●	15	16
24	●	25	●	9	●	48	●	42
5	27	●	●	51	●	●	2	54
26	●	50	31	●	7	46	●	53
43	49	●	●	52	●	●	6	3
20	●	14	●	11	●	45	●	1
34	13	●	17	●	39	●	21	44
22	35	23	40	32	36	41	19	●

030 解答

8	1	7	9	2	5	4	6	3
3	2	4	6	1	8	7	9	5
9	6	5	7	3	4	8	2	1
1	9	6	5	8	2	3	4	7
4	8	3	1	7	9	2	5	6
5	7	2	3	4	6	9	1	8
7	3	9	2	5	1	6	8	4
6	4	1	8	9	7	5	3	2
2	5	8	4	6	3	1	7	9

QUESTION

033

LEVEL ♛♛♛♛♕ TIME 分

CHECK 1 2 3 4 5 6 7 8 9

			1					
	8	7		6				
	5		8	9	7			
7		1				8		
	9	4		3		6	5	
		6				7		1
			2	1	8		6	
				5		1	4	
					9			

033 ヒント

40	30	38	●	10	48	45	22	23
34	●	●	47	●	39	32	36	46
35	●	41	●	●	●	33	37	24
●	15	●	51	13	52	●	17	2
7	●	●	4	●	1	●	●	12
3	14	●	18	8	9	●	16	●
42	19	54	●	●	●	44	●	21
28	20	27	50	●	49	●	●	31
29	11	53	6	5	●	26	25	43

031 解答

2	4	1	3	8	6	7	9	5
5	8	3	9	7	2	6	4	1
9	6	7	5	1	4	8	3	2
7	3	6	1	9	8	5	2	4
1	5	8	4	2	7	9	6	3
4	2	9	6	5	3	1	7	8
6	1	5	2	3	9	4	8	7
8	9	2	7	4	1	3	5	6
3	7	4	8	6	5	2	1	9

QUESTION
034

LEVEL ♛♛♛♛♛ TIME 分

CHECK 1 2 3 4 5 6 7 8 9

				7				8
	4					7	1	
		1	6		4		2	
		7	9			2		
9				4				1
		2			6	8		
	1		3		2	6		
	2	3					9	
5				1				

034 ヒント

4	42	41	21	●	30	10	9	●
8	●	40	50	3	51	●	●	28
27	39	●	●	43	●	12	●	29
23	37	●	●	33	20	●	26	11
●	32	36	2	●	34	13	25	●
22	35	●	19	31	●	●	24	7
53	●	47	●	15	●	●	16	49
52	●	●	44	6	46	1	●	48
●	38	54	45	●	18	14	17	5

032 解答

7	8	4	2	9	1	3	5	6
1	3	5	6	4	8	2	7	9
6	9	2	3	5	7	8	1	4
4	1	3	5	7	6	9	2	8
2	6	8	1	3	9	5	4	7
5	7	9	4	8	2	1	6	3
8	4	7	9	2	5	6	3	1
3	2	1	8	6	4	7	9	5
9	5	6	7	1	3	4	8	2

QUESTION

035

LEVEL ♛♛♛♛♛ TIME 分

CHECK 1 2 3 4 5 6 7 8 9

4								
	8			1		5	6	
		9			8	4	1	
			3		5	9		
	5			6			2	
		2	1		7			
	1	5	2			7		
	9	7		3			4	
								2

035 ヒント

●	10	1	35	36	7	2	17	20
12	●	13	8	●	4	●	●	21
9	6	●	11	18	●	●	●	14
47	15	43	●	3	●	●	22	39
40	●	48	30	●	29	42	●	16
27	41	●	●	28	●	24	45	44
51	●	●	●	33	34	●	53	23
5	●	●	31	●	25	38	●	37
52	46	49	19	32	26	50	54	●

033 解答

9	6	2	1	4	5	3	7	8
4	8	7	3	6	2	9	1	5
1	5	3	8	9	7	4	2	6
7	3	1	5	2	6	8	9	4
8	9	4	7	3	1	6	5	2
5	2	6	9	8	4	7	3	1
3	4	9	2	1	8	5	6	7
2	7	8	6	5	3	1	4	9
6	1	5	4	7	9	2	8	3

QUESTION

036

LEVEL　TIME　分

CHECK 1 2 3 4 5 6 7 8 9

	2	1				9	4	
8								7
7			9	1				5
		2			7			
		3		9		5		
			6			8		
3				6	1			9
1								4
	6	4				3	8	

036 ヒント

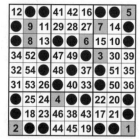

12	●	●	41	42	16	●	●	5
●	9	11	29	28	27	7	14	●
●	8	13	●	●	6	15	10	●
34	52	●	47	49	●	3	30	39
32	54	●	48	●	37	●	51	35
31	53	26	●	40	33	●	50	36
●	25	24	4	●	●	22	20	●
●	18	23	46	38	43	17	21	●
2	●	●	44	45	19	●	●	1

034 解答

2	9	5	1	7	3	4	6	8
6	4	8	5	2	9	7	1	3
3	7	1	6	8	4	9	2	5
4	8	7	9	5	1	2	3	6
9	3	6	2	4	8	5	7	1
1	5	2	7	3	6	8	4	9
8	1	4	3	9	2	6	5	7
7	2	3	8	6	5	1	9	4
5	6	9	4	1	7	3	8	2

QUESTION

037

LEVEL ♛♛♛♛♛ TIME 分

CHECK 1 2 3 4 5 6 7 8 9

			1		4			6
	6			9			4	
				5		7		
2					1			3
	5	8		3		1	7	
6			9					2
		4		6				
	9			7			2	
7			2		3			

037 ヒント

35	34	36	●	3	●	38	37	●
44	●	45	17	●	19	4	●	23
26	22	6	18	●	11	●	53	54
●	27	32	14	29	●	50	48	●
33	●	●	10	●	2	●	●	30
●	20	21	●	28	13	49	39	●
41	5	●	16	●	9	46	24	8
25	●	42	7	●	15	47	●	51
●	12	43	●	1	●	31	52	40

035 解答

4	6	1	5	9	3	2	7	8
7	8	3	4	1	2	5	6	9
5	2	9	6	7	8	4	1	3
6	7	4	3	2	5	9	8	1
1	5	8	9	6	4	3	2	7
9	3	2	1	8	7	6	5	4
8	1	5	2	4	9	7	3	6
2	9	7	8	3	6	1	4	5
3	4	6	7	5	1	8	9	2

QUESTION

038

LEVEL ♛♛♛♛♛ TIME 分

CHECK 1 2 3 4 5 6 7 8 9

	6							
5	7		8	1	4			
		3				4		
	5		6		8		4	
	8			7			2	
	2		9		5		3	
		7				5		
			2	5	1		7	8
							1	

038 ヒント

11	●	10	33	29	39	36	14	35
●	●	16	●	●	●	46	45	19
23	24	●	15	38	37	●	13	34
5	●	48	●	2	●	53	●	54
49	●	12	1	●	3	44	●	6
8	●	47	●	4	●	9	●	50
21	22	●	28	27	40	●	43	31
51	17	52	●	●	●	18	●	●
26	25	7	30	41	32	20	●	42

036 解答

5	2	1	3	7	6	9	4	8
8	3	9	2	4	5	1	6	7
7	4	6	9	1	8	2	3	5
6	1	2	5	8	7	4	9	3
4	8	3	1	9	2	5	7	6
9	7	5	6	3	4	8	1	2
3	5	8	4	6	1	7	2	9
1	9	7	8	2	3	6	5	4
2	6	4	7	5	9	3	8	1

QUESTION

039

LEVEL ♛♛♛♛♕ TIME 分

CHECK 1 2 3 4 5 6 7 8 9

				3				
		1	6			7	3	
	9		2		1		8	
	2	7				1		
4				9				8
		8				2	9	
	6		3		5		1	
	4	3			7	6		
				4				

039 ヒント

39	20	13	34	●	44	36	7	1
8	40	●	●	38	45	●	●	35
3	●	14	●	6	●	31	●	9
5	●	●	28	15	24	●	10	26
●	21	23	17	●	2	25	11	●
12	22	●	41	42	33	●	●	16
19	●	30	●	50	●	37	●	53
47	●	●	49	51	●	●	32	54
48	43	29	52	●	4	46	18	27

037 解答

8	7	9	1	2	4	5	3	6
3	6	5	7	9	8	2	4	1
4	1	2	3	5	6	7	8	9
2	4	7	5	8	1	9	6	3
9	5	8	6	3	2	1	7	4
6	3	1	9	4	7	8	5	2
5	2	4	8	6	9	3	1	7
1	9	3	4	7	5	6	2	8
7	8	6	2	1	3	4	9	5

QUESTION
040

LEVEL ♛♛♛♛♕ TIME 分

CHECK 1 2 3 4 5 6 7 8 9

		9						
			2		1	8	7	
1				4		5	2	
	8				5		1	
		4		6		3		
	1		3				4	
	4	6		3				8
	5	8	9		6			
						7		

040 ヒント

8	9	●	42	41	18	11	19	5
10	21	13	●	26	●	●	●	28
●	30	31	20	●	23	●	●	27
51	●	29	6	46	●	54	●	38
52	45	●	1	●	37	●	14	49
50	●	35	●	24	47	53	●	48
33	●	●	39	●	40	4	44	●
15	●	●	●	3	●	16	17	12
32	34	2	25	36	7	●	43	22

038 解答

4	6	8	7	3	9	1	5	2
5	7	2	8	1	4	9	6	3
1	9	3	5	6	2	4	8	7
3	5	1	6	2	8	7	4	9
9	8	4	1	7	3	6	2	5
7	2	6	9	4	5	8	3	1
2	1	7	3	8	6	5	9	4
6	4	9	2	5	1	3	7	8
8	3	5	4	9	7	2	1	6

QUESTION
041

LEVEL ♛♛♛♛♕ TIME 分

CHECK 1 2 3 4 5 6 7 8 9

		7				4		
	6			2				
1			3	6				7
		3	8		2			
	4	8		9		1	2	
			7		1	6		
9				8	5			2
				7			4	
		2				3		

041 ヒント

41	43	●	48	12	27	●	44	45
42	●	24	49	●	14	31	46	33
●	28	34	●	●	23	2	47	●
13	1	●	●	8	●	35	20	36
15	●	●	10	●	11	●	●	6
38	39	40	●	5	●	●	17	9
●	7	51	22	●	●	19	53	●
29	37	52	3	●	4	54	●	50
21	16	●	25	18	26	●	32	30

039 解答

5	7	6	4	3	8	9	2	1
2	8	1	6	5	9	7	3	4
3	9	4	2	7	1	5	8	6
9	2	7	8	6	3	1	4	5
4	1	5	7	9	2	3	6	8
6	3	8	5	1	4	2	9	7
7	6	9	3	8	5	4	1	2
8	4	3	1	2	7	6	5	9
1	5	2	9	4	6	8	7	3

QUESTION

042

LEVEL ♛♛♛♛♛ TIME 分

CHECK 1 2 3 4 5 6 7 8 9

7			1	6				
		2				3		
	3				8		7	
3				9		1		
2			6	8	5			4
		5		7				2
	5		2				4	
		1				2		
				5	4			6

042 ヒント

●	54	21	●	●	9	23	5	51
48	53	●	45	16	47	●	17	50
49	●	19	46	6	●	22	●	52
●	20	35	11	●	7	●	30	29
●	2	32	●	●	●	34	12	●
36	26	●	10	●	1	18	33	●
27	●	38	●	3	43	40	●	14
25	24	●	39	13	28	●	42	31
37	8	15	44	●	●	41	4	●

040 解答

8	2	9	7	5	3	4	6	1
4	6	5	2	9	1	8	7	3
1	3	7	6	4	8	5	2	9
6	8	3	4	7	5	9	1	2
9	7	4	1	6	2	3	8	5
5	1	2	3	8	9	6	4	7
2	4	6	5	3	7	1	9	8
7	5	8	9	1	6	2	3	4
3	9	1	8	2	4	7	5	6

QUESTION
043

LEVEL TIME 分

CHECK 1 2 3 4 5 6 7 8 9

		2			4	3		
	1			3			2	
5				6				9
					3			7
	5	6		4		8	9	
3			5					
4				2				8
	2			1			3	
		9	7			1		

043 ヒント

43	45	●	48	13	●	●	20	16
46	●	39	47	●	14	33	●	27
●	28	6	22	●	19	35	34	●
21	50	29	10	51	●	25	30	●
23	●	●	18	●	12	●	●	3
●	40	49	●	52	24	26	31	17
●	42	1	4	●	54	32	36	●
38	●	9	7	●	53	37	●	11
41	5	●	●	15	44	●	8	2

041 解答

2	9	7	1	5	8	4	3	6
3	6	4	9	2	7	8	1	5
1	8	5	3	6	4	2	9	7
6	1	3	8	4	2	5	7	9
7	4	8	5	9	6	1	2	3
5	2	9	7	3	1	6	8	4
9	3	1	4	8	5	7	6	2
8	5	6	2	7	3	9	4	1
4	7	2	6	1	9	3	5	8

QUESTION

044

LEVEL ♛♛♛♛♕ TIME 分

CHECK 1 2 3 4 5 6 7 8 9

	4							
1				3			2	
		7	4		6	3		
		5		4		2		
	8		5	7	9		3	
		1		2		9		
		2	1		7	4		
	3			5				6
							9	

044 ヒント

42	●	14	51	52	50	18	13	23
●	41	40	24	●	43	33	●	7
39	4	●	●	19	●	●	17	34
32	38	●	36	●	1	●	25	26
3	●	9	●	●	●	11	●	12
37	15	●	35	●	31	●	8	10
48	44	●	●	46	●	●	22	6
28	●	47	54	●	53	21	20	●
27	2	45	30	49	29	16	●	5

042 解答

7	9	4	1	6	3	5	2	8
5	8	2	7	4	9	3	6	1
1	3	6	5	2	8	4	7	9
3	6	8	4	9	2	1	5	7
2	1	7	6	8	5	9	3	4
9	4	5	3	7	1	6	8	2
6	5	9	2	1	7	8	4	3
4	7	1	8	3	6	2	9	5
8	2	3	9	5	4	7	1	6

QUESTION
045

LEVEL ♛♛♛♛♕ TIME 分

CHECK 1 2 3 4 5 6 7 8 9

	2		1				4	8
1							6	9
		8		2				
3			5		2			
		2		8		5		
			4		9			1
				1		9		
7	9							6
6	8				4		3	

045 ヒント

10	●	43	●	54	53	33	●	●
●	45	42	12	7	11	2	●	●
46	39	●	32	●	44	34	20	21
●	9	50	●	35	●	28	47	27
38	37	●	36	●	1	●	48	14
8	22	49	●	15	●	13	3	●
4	41	40	30	●	29	●	23	24
●	●	18	6	16	31	25	26	●
●	●	17	52	51	●	19	●	5

043 解答

6	8	2	9	7	4	3	1	5
9	1	7	8	3	5	6	2	4
5	4	3	2	6	1	7	8	9
1	9	4	6	8	3	2	5	7
2	5	6	1	4	7	8	9	3
3	7	8	5	9	2	4	6	1
4	6	1	3	2	9	5	7	8
7	2	5	4	1	8	9	3	6
8	3	9	7	5	6	1	4	2

QUESTION
046

LEVEL ♛♛♛♛♛ TIME 分

CHECK 1 2 3 4 5 6 7 8 9

9		1				3		2
	5			4			8	
4		2						5
			7		2			
	2			5			7	
			3		1			
1						6		3
	4			9			1	
6		8				4		9

046 ヒント

●	23	●	25	22	21	●	5	●
37	●	36	2	●	40	54	●	53
●	24	●	15	14	41	44	39	●
46	1	31	●	42	●	10	4	33
35	●	34	29	●	28	52	●	51
17	45	32	●	43	●	6	30	38
●	48	47	27	7	26	●	9	●
3	●	11	18	●	13	50	●	49
●	12	●	20	16	19	●	8	●

044 解答

5	4	3	2	9	8	1	6	7
1	6	9	7	3	5	8	2	4
8	2	7	4	1	6	3	5	9
3	9	5	6	4	1	2	7	8
2	8	4	5	7	9	6	3	1
6	7	1	8	2	3	9	4	5
9	5	2	1	6	7	4	8	3
4	3	8	9	5	2	7	1	6
7	1	6	3	8	4	5	9	2

QUESTION

047

LEVEL ♛♛♛♛♕ TIME 分

CHECK 1 2 3 4 5 6 7 8 9

		9				4		
	2						6	
5			7		4	2		1
		1		5		6		
			2	4	9			
		2		8		5		
1		7	5		6			3
	8						2	
		6				1		

047 ヒント

24	1	●	23	17	5	●	35	36
29	●	18	53	54	6	27	●	31
●	16	30	●	28	●	●	37	●
32	47	●	12	●	11	●	44	2
15	14	25	●	●	●	33	9	34
46	22	●	7	●	8	●	26	45
●	48	●	●	4	●	43	41	●
49	●	13	50	51	20	39	●	10
3	21	●	52	40	19	●	38	42

045 解答

5	2	6	1	9	7	3	4	8
1	7	3	8	4	5	2	6	9
9	4	8	3	2	6	7	1	5
3	1	9	5	6	2	8	7	4
4	6	2	7	8	1	5	9	3
8	5	7	4	3	9	6	2	1
2	3	4	6	1	8	9	5	7
7	9	1	2	5	3	4	8	6
6	8	5	9	7	4	1	3	2

QUESTION

048

LEVEL ♛♛♛♛♕ TIME 分

CHECK 1 2 3 4 5 6 7 8 9

				8				
	5	9				2	1	
	1				6	4	3	
			8		9	3		
1				7				5
		7	1		3			
	4	5	6				2	
	8	3				1	6	
				4				

048 ヒント

9	41	16	28	●	1	47	46	37
36	●	●	38	8	34	●	●	43
40	●	33	14	39	●	●	●	42
17	27	26	●	19	●	●	12	2
●	6	22	30	●	29	21	24	●
18	25	●	●	20	●	23	13	5
51	●	●	●	4	53	48	●	10
50	●	●	54	31	15	●	●	11
32	35	3	7	●	52	45	44	49

046 解答

9	6	1	8	7	5	3	4	2
7	5	3	2	4	6	9	8	1
4	8	2	1	3	9	7	6	5
8	1	9	7	6	2	5	3	4
3	2	6	9	5	4	1	7	8
5	7	4	3	8	1	2	9	6
1	9	7	4	2	8	6	5	3
2	4	5	6	9	3	8	1	7
6	3	8	5	1	7	4	2	9

QUESTION

049

LEVEL ♛♛♛♛♛ TIME 分

CHECK 1 2 3 4 5 6 7 8 9

								2
			8	7	3			
		1		4	5	9		
	4					1	6	
	7	9		5		2	8	
	1	2					9	
		4	1	3		5		
			4	9	8			
3								

049 ヒント

11	17	24	36	2	37	22	12	●
54	53	13	●	●	●	29	28	30
21	31	●	4	●	●	●	16	23
45	●	5	49	43	35	●	●	47
10	●	●	9	●	1	●	●	7
44	●	●	48	38	6	42	●	46
51	50	●	●	●	33	●	18	41
3	14	20	●	●	●	39	15	40
●	52	32	8	34	19	25	26	27

047 解答

3	1	9	8	6	2	4	7	5
7	2	4	1	9	5	3	6	8
5	6	8	7	3	4	2	9	1
8	9	1	3	5	7	6	4	2
6	5	3	2	4	9	8	1	7
4	7	2	6	8	1	5	3	9
1	4	7	5	2	6	9	8	3
9	8	5	4	1	3	7	2	6
2	3	6	9	7	8	1	5	4

QUESTION

050

LEVEL ♛♛♛♛♛ TIME 分

CHECK 1 2 3 4 5 6 7 8 9

6						8		3
	9						2	
			4		9	7		1
		2		5		6		
			7	4	2			
		3		1		9		
4		9	8		5			
	6						1	
2		7						9

050 ヒント

●	34	14	44	43	20	●	4	●
52	●	15	38	36	22	49	●	50
39	35	51	●	37	●	●	23	●
13	33	●	5	●	6	●	29	26
10	31	3	●	●	●	1	7	27
32	30	●	9	●	8	●	28	2
●	12	●	●	41	●	45	25	24
53	●	54	42	11	17	46	●	47
●	40	●	19	21	18	48	16	●

048 解答

3	7	4	2	8	1	9	5	6
6	5	9	7	3	4	2	1	8
8	1	2	5	9	6	4	3	7
4	2	6	8	5	9	3	7	1
1	3	8	4	7	2	6	9	5
5	9	7	1	6	3	8	4	2
9	4	5	6	1	8	7	2	3
7	8	3	9	2	5	1	6	4
2	6	1	3	4	7	5	8	9

QUESTION

051

LEVEL ♛♛♛♛♕ TIME 分

CHECK 1 2 3 4 5 6 7 8 9

5								
	4		1		7	9	2	
		7			6	1	5	
	6					4	7	
				2				
	1	8					3	
	7	4	3			2		
	5	9	8		4		1	
								7

051 ヒント

●	44	1	52	47	42	4	12	49
22	●	32	●	3	●	●	●	50
45	43	●	51	46	●	●	●	48
31	●	7	37	25	36	●	●	54
30	35	9	28	●	33	13	53	26
34	●	●	27	29	38	17	●	8
18	●	●	●	23	24	●	16	15
6	●	●	●	5	●	10	●	11
19	21	20	40	41	39	14	2	●

049 解答

4	3	8	6	1	9	7	5	2
9	2	5	8	7	3	4	1	6
7	6	1	2	4	5	9	3	8
5	4	3	9	8	2	1	6	7
6	7	9	3	5	1	2	8	4
8	1	2	7	6	4	3	9	5
2	8	4	1	3	6	5	7	9
1	5	7	4	9	8	6	2	3
3	9	6	5	2	7	8	4	1

QUESTION

052

LEVEL ♛♛♛♛♕ TIME 分

CHECK 1 2 3 4 5 6 7 8 9

				7				
	4	3				1		
	1		5		4	8	6	
		7	1			9		
6				9				4
		4			6	2		
	7	5	8		3		4	
		8				5	3	
				2				

052 ヒント

33	34	18	39	●	1	2	46	8
43	●	●	15	14	40	●	41	11
42	●	44	●	7	●	●	●	45
35	21	●	●	3	38	●	31	6
●	32	36	50	●	49	9	25	●
24	37	●	10	5	●	●	47	48
29	●	●	●	17	●	13	●	27
22	28	●	52	16	51	●	●	26
20	19	23	30	●	4	12	53	54

050 解答

6	7	4	5	2	1	8	9	3
8	9	1	3	7	6	4	2	5
3	2	5	4	8	9	7	6	1
1	8	2	9	5	3	6	4	7
9	5	6	7	4	2	1	3	8
7	4	3	6	1	8	9	5	2
4	1	9	8	3	5	2	7	6
5	6	8	2	9	7	3	1	4
2	3	7	1	6	4	5	8	9

QUESTION
053

LEVEL ♛♛♛♛♕ TIME 分

CHECK 1 2 3 4 5 6 7 8 9

			1		6	7		
							3	
			4	3	7			6
1		2				6		9
		7		8		4		
4		5				1		2
8			3	1	5			
	6							
		1	7		4			

053 ヒント

40	42	32	●	50	●	●	27	34
20	28	8	49	44	45	48	●	24
43	25	33	●	●	●	47	31	●
●	15	●	5	4	18	●	13	●
7	17	●	2	●	1	●	6	3
●	16	●	10	12	19	●	14	●
●	21	39	●	●	●	30	11	26
36	●	29	52	46	51	41	23	22
37	38	●	●	9	●	53	54	35

051 解答

5	8	1	9	3	2	7	6	4
6	4	3	1	5	7	9	2	8
9	2	7	4	8	6	1	5	3
3	6	2	5	1	8	4	7	9
4	9	5	7	2	3	6	8	1
7	1	8	6	4	9	5	3	2
8	7	4	3	6	1	2	9	5
2	5	9	8	7	4	3	1	6
1	3	6	2	9	5	8	4	7

QUESTION

054

LEVEL ♛♛♛♛♛ TIME 分

CHECK 1 2 3 4 5 6 7 8 9

		1		7				
	6	8	1		4		2	
2	4							
	2		8				7	
7				3				1
	3				5		4	
							3	5
	5		6		2	9	8	
				8		4		

054 ヒント

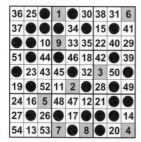

36	25	●	1	●	30	38	31	6
37	●	●	●	34	●	15	●	41
●	●	10	9	33	35	22	40	29
51	●	44	●	46	18	42	●	39
●	23	43	45	●	32	3	50	●
19	●	52	11	2	●	28	●	49
24	16	5	48	47	12	21	●	●
27	●	26	●	17	●	●	●	14
54	13	53	7	●	8	●	20	4

052 解答

5	8	6	2	7	1	4	9	3
7	4	3	6	8	9	1	2	5
2	1	9	5	3	4	8	6	7
8	3	7	1	4	2	9	5	6
6	5	2	7	9	8	3	1	4
1	9	4	3	5	6	2	7	8
9	7	5	8	1	3	6	4	2
4	2	8	9	6	7	5	3	1
3	6	1	4	2	5	7	8	9

QUESTION

055

LEVEL ♛♛♛♛♛ TIME 分

CHECK 1 2 3 4 5 6 7 8 9

		7		8	2	3		
	8		1		7	4	6	
		8				2	4	
	6			2			7	
	1	5				8		
	4	6	8		1		2	
		9	6	4		5		

055 ヒント

36	29	35	50	54	53	16	17	15
8	44	●	9	●	●	●	41	23
43	●	14	●	30	●	●	●	42
34	27	●	31	1	45	●	●	38
33	●	28	52	●	7	12	●	39
2	●	●	13	51	10	●	40	32
24	●	●	●	48	●	22	●	19
26	4	●	●	●	11	●	21	18
47	46	37	3	25	49	6	20	5

053 解答

2	5	3	1	9	6	7	4	8
7	4	6	8	5	2	9	3	1
9	1	8	4	3	7	5	2	6
1	8	2	5	4	3	6	7	9
6	9	7	2	8	1	4	5	3
4	3	5	6	7	9	1	8	2
8	7	9	3	1	5	2	6	4
5	6	4	9	2	8	3	1	7
3	2	1	7	6	4	8	9	5

QUESTION

056

LEVEL ♛♛♛♛♛ TIME 分

CHECK 1 2 3 4 5 6 7 8 9

	5							
4			5	9			7	
		6	4		8	3		
	6	7				1		
	2			6			4	
		4				5	3	
		2	1		7	8		
	1			3	2			7
							5	

056 ヒント

27	●	29	24	17	26	14	12	5
●	19	18	●	●	20	15	●	10
30	23	●	●	25	●	●	13	6
36	●	●	47	41	40	●	11	50
34	●	38	37	●	48	9	●	49
33	39	●	28	31	35	●	●	8
44	16	●	●	7	●	●	46	3
43	●	53	52	●	●	4	45	●
22	21	54	32	51	42	2	●	1

054 解答

5	9	1	2	7	8	3	6	4
3	6	8	1	5	4	7	2	9
2	4	7	3	6	9	1	5	8
6	2	4	8	9	1	5	7	3
7	8	5	4	3	6	2	9	1
1	3	9	7	2	5	8	4	6
8	1	2	9	4	7	6	3	5
4	5	3	6	1	2	9	8	7
9	7	6	5	8	3	4	1	2

QUESTION

057

LEVEL TIME 分

CHECK 1 2 3 4 5 6 7 8 9

								7
	1	4		8		9		
	7	8		6			2	
			1		7			
	4	5		3		7	1	
			4		6			
	6			9		1	3	
		1		7		2	6	
8								

057 ヒント

27	33	28	16	12	13	30	31	●
17	●	●	4	●	34	●	9	29
32	●	●	35	●	26	18	●	1
47	42	46	●	44	●	38	20	53
39	●	●	40	●	52	●	●	45
2	43	5	●	51	●	41	54	48
6	●	10	25	●	11	●	●	22
7	24	●	36	●	37	●	●	21
●	49	50	3	14	15	23	8	19

055 解答

1	3	4	5	9	6	7	8	2
6	9	7	4	8	2	3	5	1
5	8	2	1	3	7	4	6	9
9	7	8	3	1	5	2	4	6
4	6	3	9	2	8	1	7	5
2	1	5	7	6	4	8	9	3
3	4	6	8	5	1	9	2	7
7	2	9	6	4	3	5	1	8
8	5	1	2	7	9	6	3	4

QUESTION

058

LEVEL ♛♛♛♛♕ TIME 分

CHECK 1 2 3 4 5 6 7 8 9

				2				
		7			3	8		
	2		7		8	4	6	
		6				1	8	
3				4				2
	1	2				9		
	5	9	6		2		1	
		8	1			2		
				3				

058 ヒント

26	25	12	53	●	54	31	10	28
27	30	●	13	23	●	●	2	32
29	●	11	●	24	●	●	●	33
39	40	●	3	46	45	●	●	7
●	38	14	47	●	1	15	16	●
41	●	●	6	21	22	●	34	35
42	●	●	●	44	●	9	●	19
17	8	●	●	50	48	●	51	37
4	43	5	20	●	49	36	52	18

056 解答

2	5	3	7	1	6	9	8	4
4	8	1	5	9	3	6	7	2
9	7	6	4	2	8	3	1	5
3	6	7	8	4	5	1	2	9
1	2	5	3	6	9	7	4	8
8	9	4	2	7	1	5	3	6
6	4	2	1	5	7	8	9	3
5	1	8	9	3	2	4	6	7
7	3	9	6	8	4	2	5	1

QUESTION

059

LEVEL ♛♛♛♛♛ TIME 分

CHECK 1 2 3 4 5 6 7 8 9

			3		2			
		5		8		7		
	2			7			8	
7					1			4
	5	6		9		3	2	
3			6					1
	7			1			4	
		8		6		5		
			9		7			

059 ヒント

15	47	4	●	25	●	43	50	36
27	38	●	35	●	52	●	49	2
48	●	37	34	●	51	26	●	39
●	28	29	20	3	●	8	7	●
1	●	●	5	●	12	●	●	11
●	22	21	●	31	30	10	6	●
45	●	40	32	●	33	14	●	54
18	46	●	24	●	16	●	42	9
17	44	23	●	19	●	13	41	53

057 解答

5	9	6	2	4	1	3	8	7
2	1	4	7	8	3	9	5	6
3	7	8	9	6	5	4	2	1
9	8	3	1	2	7	6	4	5
6	4	5	8	3	9	7	1	2
1	2	7	4	5	6	8	9	3
7	6	2	5	9	4	1	3	8
4	5	1	3	7	8	2	6	9
8	3	9	6	1	2	5	7	4

QUESTION
060

LEVEL ♛♛♛♛♛ TIME 分

CHECK 1 2 3 4 5 6 7 8 9

			4		2			
		6					3	
	9	2	5	3		6		
1		9						3
		4		7		2		
8						1		4
		7		1	4	5	2	
	1					9		
			7		5			

060 ヒント

33	34	1	●	6	●	20	47	40
35	21	●	24	25	23	7	●	2
8	●	●	●	●	22	●	46	16
●	31	●	29	4	42	48	39	●
38	37	●	27	●	26	●	19	49
●	32	13	30	5	43	●	41	●
36	44	●	52	●	●	●	●	15
53	●	12	45	50	28	●	10	11
54	9	14	●	51	●	3	17	18

058 解答

8	6	4	5	2	9	7	3	1
1	9	7	4	6	3	8	2	5
5	2	3	7	1	8	4	6	9
9	4	6	2	5	7	1	8	3
3	8	5	9	4	1	6	7	2
7	1	2	3	8	6	9	5	4
4	5	9	6	7	2	3	1	8
6	3	8	1	9	5	2	4	7
2	7	1	8	3	4	5	9	6

QUESTION
061

LEVEL ♔ ♔ ♔ ♔ ♔ TIME 分

CHECK 1 2 3 4 5 6 7 8 9

							9	
	6	4				3		5
	7			6	2		4	
			3		1	5		
		2		4		7		
		1	2		7			
	4		1	3			6	
8		6				4	1	
	2							

061 ヒント

20	3	24	8	14	7	46	●	47
18	●	●	40	4	39	●	13	●
32	●	33	15	●	●	5	●	25
49	36	26	●	38	●	●	19	52
51	21	●	37	●	12	●	35	1
50	34	●	●	16	●	48	53	54
27	●	22	●	●	42	43	●	44
●	31	●	17	6	23	●	●	29
2	●	30	11	41	9	45	10	28

059 解答

8	6	7	3	4	2	1	9	5
4	3	5	1	8	9	7	6	2
9	2	1	5	7	6	4	8	3
7	8	9	2	3	1	6	5	4
1	5	6	7	9	4	3	2	8
3	4	2	6	5	8	9	7	1
6	7	3	8	1	5	2	4	9
2	9	8	4	6	3	5	1	7
5	1	4	9	2	7	8	3	6

QUESTION
062

LEVEL ♛♛♛♛♕ TIME 分

CHECK 1 2 3 4 5 6 7 8 9

9				6				5
		2						
	6		7		2	4		
		8		1		2		
7			9	2	5			1
		5		7		9		
		7	6		4		3	
						7		
6				3				8

062 ヒント

●	6	12	43	●	33	15	1	●
41	52	●	49	11	28	10	5	30
51	●	42	●	50	●	●	16	29
40	8	●	22	●	9	●	2	4
●	17	3	●	●	●	13	14	●
38	39	●	45	●	44	●	21	20
54	53	●	●	27	●	34	●	24
18	46	31	36	47	48	●	25	23
●	37	26	32	●	7	35	19	●

060 解答

7	3	1	4	6	2	8	9	5
5	8	6	1	9	7	4	3	2
4	9	2	5	3	8	6	7	1
1	2	9	8	4	6	7	5	3
6	5	4	3	7	1	2	8	9
8	7	3	2	5	9	1	6	4
3	6	7	9	1	4	5	2	8
2	1	5	6	8	3	9	4	7
9	4	8	7	2	5	3	1	6

QUESTION
063

LEVEL ♛♛♛♛♛ TIME 分

CHECK 1 2 3 4 5 6 7 8 9

	5						9	
2				4				3
		1	5		2			
		8	7		1	6		
	9			3			1	
		2	6		9	3		
			2		5	8		
6				7				5
	1						2	

063 ヒント

53	●	41	29	14	31	19	●	17
●	54	11	18	●	32	37	50	●
9	52	●	●	12	●	30	34	51
40	10	●	●	2	●	●	36	8
38	●	5	24	●	25	35	●	20
1	39	●	●	4	●	●	49	48
13	42	47	●	15	●	●	44	45
●	3	46	22	●	23	16	43	●
6	●	7	26	28	27	21	●	33

061 解答

5	1	8	4	7	3	2	9	6
2	6	4	9	1	8	3	7	5
3	7	9	5	6	2	1	4	8
6	8	7	3	9	1	5	2	4
9	5	2	8	4	6	7	3	1
4	3	1	2	5	7	6	8	9
7	4	5	1	3	9	8	6	2
8	9	6	7	2	5	4	1	3
1	2	3	6	8	4	9	5	7

QUESTION

064

LEVEL ♛♛♛♛♕ TIME 分

CHECK 1 2 3 4 5 6 7 8 9

			9		5			
				6	1	9		
				4		8	3	
6							4	2
	7	4		5		6	1	
2	1							3
	8	6		9				
		5	3	1				
			6		7			

064 ヒント

20	53	32	●	2	●	36	39	35
50	45	30	7	●	●	●	26	34
27	54	33	8	●	9	●	●	40
●	3	46	1	17	49	15	●	●
47	●	●	10	●	48	●	●	22
●	●	21	6	16	5	18	23	●
44	●	●	4	●	14	41	43	37
31	12	●	●	●	13	19	29	28
38	51	52	●	11	●	42	24	25

062 解答

9	7	4	3	6	1	8	2	5
1	8	2	5	4	9	6	7	3
5	6	3	7	8	2	4	1	9
3	9	8	4	1	6	2	5	7
7	4	6	9	2	5	3	8	1
2	1	5	8	7	3	9	6	4
8	5	7	6	9	4	1	3	2
4	3	1	2	5	8	7	9	6
6	2	9	1	3	7	5	4	8

QUESTION

065

LEVEL ♛♛♛♛♛ TIME 分

CHECK 1 2 3 4 5 6 7 8 9

1								6
		6		4		7		
	2				5	3	1	
			7		6	5		
	6			2			3	
		9	8		1			
	7	3	4				9	
		2		5		8		
9								2

065 ヒント

●	19	45	3	43	15	18	22	●
14	23	●	1	●	49	●	4	52
44	●	29	50	42	●	●	●	51
6	13	34	●	11	●	●	33	31
47	●	46	9	●	8	20	●	32
24	27	●	●	12	●	5	10	26
35	●	●	●	53	2	38	●	21
28	17	●	41	●	54	●	39	7
●	36	25	16	40	48	37	30	●

063 解答

7	5	4	3	8	6	2	9	1
2	8	9	1	4	7	5	6	3
3	6	1	5	9	2	4	7	8
4	3	8	7	2	1	6	5	9
5	9	6	8	3	4	7	1	2
1	7	2	6	5	9	3	8	4
9	4	7	2	1	5	8	3	6
6	2	3	9	7	8	1	4	5
8	1	5	4	6	3	9	2	7

QUESTION

066

LEVEL ♛♛♛♛♛ TIME 分

CHECK 1 2 3 4 5 6 7 8 9

3								2
			8		7		9	
		2			5	1		
	4		7		8	6	2	
				4				
	3	1	9		2		7	
		8	1			9		
	1		4		6			
6								8

066 ヒント

●	20	23	13	7	6	21	22	●
1	27	29	●	3	●	38	●	37
53	54	●	12	11	●	●	35	39
24	●	25	●	14	●	●	●	9
32	51	28	16	●	8	41	40	17
52	●	●	●	15	●	36	●	34
30	31	●	●	46	19	●	49	50
26	●	45	●	10	●	5	48	42
●	44	43	4	47	18	33	2	●

064 解答

8	6	7	9	3	5	1	2	4
4	3	2	8	6	1	9	5	7
5	9	1	7	4	2	8	3	6
6	5	3	1	8	9	7	4	2
9	7	4	2	5	3	6	1	8
2	1	8	4	7	6	5	9	3
3	8	6	5	9	4	2	7	1
7	2	5	3	1	8	4	6	9
1	4	9	6	2	7	3	8	5

QUESTION

067

LEVEL ♛♛♛♛♕ TIME 分

CHECK 1 2 3 4 5 6 7 8 9

			3		5			
		2		4		9		
	5		7			1	6	
1		8						4
	2			5			3	
9						8		2
	4	1			7		5	
		3		1		7		
			2		8			

067 ヒント

21	11	22	●	28	●	46	45	15
12	16	●	10	●	13	●	25	1
20	●	23	●	24	29	●	●	2
●	34	●	32	30	37	4	53	●
18	●	19	8	●	36	14	●	54
●	33	3	9	31	35	●	38	●
41	●	●	52	48	●	44	●	27
42	26	●	5	●	6	●	50	40
7	43	17	●	51	●	47	49	39

065 解答

1	9	8	2	7	3	4	5	6
3	5	6	1	4	8	7	2	9
7	2	4	9	6	5	3	1	8
2	3	1	7	9	6	5	8	4
8	6	7	5	2	4	9	3	1
5	4	9	8	3	1	2	6	7
6	7	3	4	8	2	1	9	5
4	1	2	6	5	9	8	7	3
9	8	5	3	1	7	6	4	2

QUESTION
068

LEVEL ♛♛♛♛♛ TIME 分

CHECK 1 2 3 4 5 6 7 8 9

				9				
	5					8	2	
		2	8		1	7	9	
		3			4	6		
2				1				7
		5	7			1		
	9	8	2		7	3		
	3	7					1	
				4				

068 ヒント

14	12	44	37	●	4	35	46	42
47	●	49	36	10	18	●	●	43
48	38	●	●	24	●	●	●	45
11	3	●	23	19	●	●	22	21
●	51	39	29	●	54	32	31	●
52	50	●	●	30	53	●	33	20
2	●	●	●	28	●	●	40	34
7	●	●	27	26	25	15	●	41
8	5	9	1	●	6	17	13	16

066 解答

3	9	5	6	1	4	7	8	2
1	6	4	8	2	7	3	9	5
7	8	2	3	9	5	1	4	6
5	4	9	7	3	8	6	2	1
2	7	6	5	4	1	8	3	9
8	3	1	9	6	2	5	7	4
4	2	8	1	5	3	9	6	7
9	1	7	4	8	6	2	5	3
6	5	3	2	7	9	4	1	8

QUESTION
069

LEVEL ♛♛♛♛♛ TIME 分

CHECK 1 2 3 4 5 6 7 8 9

	2		5					
8				2			5	
			8	1	7			
1		6				7		
	5	7		3		6	8	
		9				1		2
			1	5	4			
	1			9				3
					3		6	

069 ヒント

49	●	19	●	7	52	26	3	24
●	23	4	6	●	51	35	●	54
41	50	40	●	●	●	20	21	53
●	32	●	36	17	16	●	29	8
5	●	●	37	●	1	●	●	31
33	18	●	11	10	9	●	30	●
34	47	43	●	●	●	46	25	27
22	●	42	14	●	13	44	38	●
48	39	28	15	12	●	45	●	2

067 解答

8	1	6	3	9	5	4	2	7
3	7	2	1	4	6	9	8	5
4	5	9	7	8	2	1	6	3
1	3	8	6	2	9	5	7	4
7	2	4	8	5	1	6	3	9
9	6	5	4	7	3	8	1	2
6	4	1	9	3	7	2	5	8
2	8	3	5	1	4	7	9	6
5	9	7	2	6	8	3	4	1

QUESTION

070

LEVEL ♛♛♛♛♛ TIME 分

CHECK 1 2 3 4 5 6 7 8 9

			6		8		4	
		6				3		5
	5			3			7	
3			9					7
		4		8		2		
7					2			8
	8			2			1	
4		5				9		
	1		4		6			

070 ヒント

52	27	24	●	3	●	11	●	36
35	1	●	33	29	21	●	53	●
51	●	32	34	●	2	39	●	54
●	7	5	●	43	44	41	40	●
4	14	●	28	●	26	●	16	12
●	15	6	18	45	●	42	17	●
10	●	22	25	●	19	49	●	9
●	23	●	8	46	47	●	37	38
31	●	30	●	20	●	50	48	13

068 解答

8	7	1	3	9	2	4	6	5
3	5	9	4	7	6	8	2	1
6	4	2	8	5	1	7	9	3
7	1	3	5	2	4	6	8	9
2	8	4	6	1	9	5	3	7
9	6	5	7	3	8	1	4	2
1	9	8	2	6	7	3	5	4
4	3	7	9	8	5	2	1	6
5	2	6	1	4	3	9	7	8

QUESTION
071

LEVEL 👑👑👑👑👑 TIME 分

CHECK 1 2 3 4 5 6 7 8 9

1				8				
				2	9		4	
		7	1		5	9		
		4				2	3	
8	2						5	9
	3	1				8		
		3	2		1	4		
	5		3	7				
				5				7

071 ヒント

●	37	51	32	●	36	41	26	29
14	50	42	35	●	●	40	●	11
25	33	●	●	30	●	●	27	28
44	46	●	47	9	15	●	●	13
●	●	7	48	34	31	10	●	●
45	●	●	49	38	2	●	12	4
39	43	●	●	17	●	●	23	5
53	●	52	●	●	19	8	6	22
20	1	24	16	●	18	3	21	●

069 解答

6	2	3	5	4	9	8	1	7
8	7	1	3	2	6	4	5	9
5	9	4	8	1	7	3	2	6
1	3	6	4	8	2	7	9	5
2	5	7	9	3	1	6	8	4
4	8	9	7	6	5	1	3	2
3	6	2	1	5	4	9	7	8
7	1	5	6	9	8	2	4	3
9	4	8	2	7	3	5	6	1

77

QUESTION

072

LEVEL ♛♛♛♛♛ TIME 分

CHECK 1 2 3 4 5 6 7 8 9

				3				7
		4			7	5		
	5		4		6	2	1	
		8				6	2	
2								4
	9	5				7		
	2	7	9		3		6	
		9	8			1		
1				7				

072 ヒント

23	22	2	14	●	50	49	38	●
20	21	●	24	16	●	●	10	3
4	●	9	●	51	●	●	●	48
32	31	●	28	42	25	●	●	41
●	26	6	45	52	53	12	40	●
29	●	●	27	33	17	●	11	13
44	●	●	●	1	●	37	●	39
43	30	●	●	8	35	●	5	18
●	34	7	15	●	36	46	47	19

070 解答

9	7	3	6	5	8	1	4	2
1	4	6	2	7	9	3	8	5
8	5	2	1	3	4	6	7	9
3	2	8	9	4	1	5	6	7
5	6	4	7	8	3	2	9	1
7	9	1	5	6	2	4	3	8
6	8	9	3	2	5	7	1	4
4	3	5	8	1	7	9	2	6
2	1	7	4	9	6	8	5	3

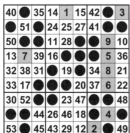

QUESTION

073

LEVEL ♛♛♛♛♛ TIME 分

CHECK 1 2 3 4 5 6 7 8 9

	2						8	
6		7					3	1
	4	1			5	6		
				3	2	4		
			9		1			
		9	4	5				
		2	1			3	5	
1	3					7		9
	7						2	

073 ヒント

40	●	35	14	1	15	42	●	3
●	51	●	24	25	27	41	●	●
50	●	●	11	28	●	●	9	10
13	7	39	16	●	●	●	5	36
32	38	31	●	19	●	34	8	21
33	17	●	●	●	20	37	6	22
30	52	●	●	23	47	●	●	48
●	●	44	26	46	18	●	4	●
53	●	45	43	29	12	2	●	49

071 解答

1	6	9	4	8	7	5	2	3
3	8	5	6	2	9	7	4	1
2	4	7	1	3	5	9	6	8
7	9	4	5	1	8	2	3	6
8	2	6	7	4	3	1	5	9
5	3	1	9	6	2	8	7	4
6	7	3	2	9	1	4	8	5
9	5	8	3	7	4	6	1	2
4	1	2	8	5	6	3	9	7

QUESTION

074

LEVEL ♛♛♛♛♛ TIME 分

CHECK 1 2 3 4 5 6 7 8 9

9		6						2
	1					6	3	
2		7		9			8	
				6	3			
		9	2		8	1		
			7	4				
	5			1		8		3
	8	1					6	
6						2		5

074 ヒント

●	16	●	47	50	18	14	13	●
23	●	24	49	46	48	●	●	5
●	17	●	41	●	42	15	●	2
25	34	10	19	●	●	12	38	37
8	35	●	●	9	●	●	28	27
21	33	22	●	●	20	4	36	26
31	●	3	39	●	40	●	30	●
32	●	●	43	44	45	11	●	29
●	6	7	53	52	51	●	1	●

072 解答

6	1	2	5	3	8	9	4	7
9	8	4	1	2	7	5	3	6
7	5	3	4	9	6	2	1	8
4	7	8	3	5	1	6	2	9
2	6	1	7	8	9	3	5	4
3	9	5	6	4	2	7	8	1
8	2	7	9	1	3	4	6	5
5	3	9	8	6	4	1	7	2
1	4	6	2	7	5	8	9	3

QUESTION

075

LEVEL ♛♛♛♛♛ TIME 分

CHECK 1 2 3 4 5 6 7 8 9

		9				1		
	4	8				5		
3	6			1			7	9
				8	5			
		2	3		7	9		
			2	9				
7	9			5			6	1
		1				3	4	
		6				7		

075 ヒント

3	2	●	5	28	29	●	21	15
1	●	●	25	24	41	●	22	16
●	●	4	40	●	37	20	●	●
6	19	38	8	●	●	14	17	33
13	44	●	●	10	●	●	18	42
45	32	35	●	●	9	12	43	39
●	●	31	36	●	23	49	●	●
46	51	●	53	26	27	●	●	48
34	50	●	11	30	52	●	7	47

073 解答

5	2	3	7	1	6	9	8	4
6	9	7	8	2	4	5	3	1
8	4	1	3	9	5	6	7	2
7	1	8	6	3	2	4	9	5
3	5	4	9	8	1	2	6	7
2	6	9	4	5	7	8	1	3
4	8	2	1	7	9	3	5	6
1	3	5	2	6	8	7	4	9
9	7	6	5	4	3	1	2	8

QUESTION

076

LEVEL ♛♛♛♛♛ TIME 分

CHECK 1 2 3 4 5 6 7 8 9

		3		4		8		
	8						1	
6		1				2		4
			7	8				
2			4	5	9			1
				6	1			
9		4				7		5
	5						2	
		2		9		6		

076 ヒント

13	4	●	1	●	27	●	10	24
5	●	16	14	9	26	12	●	21
●	15	●	41	37	42	●	25	●
33	38	52	●	●	19	51	49	17
●	29	53	●	●	●	11	48	●
47	35	54	18	●	●	39	50	28
●	44	●	46	3	20	●	22	●
34	●	43	45	30	7	2	●	8
31	32	●	36	●	40	●	6	23

074 解答

9	4	6	3	8	1	7	5	2
5	1	8	4	2	7	6	3	9
2	3	7	6	9	5	4	8	1
8	2	4	1	6	3	5	9	7
3	7	9	2	5	8	1	4	6
1	6	5	7	4	9	3	2	8
4	5	2	9	1	6	8	7	3
7	8	1	5	3	2	9	6	4
6	9	3	8	7	4	2	1	5

QUESTION

077

LEVEL ♛♛♛♛♛ TIME 分

CHECK 1 2 3 4 5 6 7 8 9

5								
	2	1		4			3	
	6	4			1	9		
				6	4	2		
	1		3		9		4	
		9	7	2				
		2	8			4	7	
	4			7		1	8	
								5

077 ヒント

●	26	43	12	35	18	46	4	3
44	●	●	25	●	20	13	●	17
34	●	●	16	36	●	●	9	45
50	51	40	1	●	●	●	53	31
2	●	8	●	14	●	47	●	52
6	32	●	●	●	15	42	41	5
21	39	●	●	23	37	●	●	28
27	●	33	19	●	38	●	●	10
22	48	49	7	24	11	29	30	●

075 解答

2	7	9	5	6	3	1	8	4
1	4	8	7	2	9	5	3	6
3	6	5	8	1	4	2	7	9
9	1	7	6	8	5	4	2	3
6	5	2	3	4	7	9	1	8
8	3	4	2	9	1	6	5	7
7	9	3	4	5	2	8	6	1
5	8	1	9	7	6	3	4	2
4	2	6	1	3	8	7	9	5

QUESTION

078

LEVEL ♛♛♛♛♛ TIME 分

CHECK 1 2 3 4 5 6 7 8 9

	3			6			4	
7				3	1			5
		5	8			6		
		3					2	
6	8						1	4
	1					7		
		1			6	5		
2			1	8				3
	4			2			7	

078 ヒント

47	●	17	44	●	41	26	●	45
●	10	16	27	●	●	25	24	●
48	11	●	●	33	43	●	3	46
13	20	●	36	1	32	51	●	50
●	●	19	29	7	28	4	●	●
15	●	14	35	18	34	●	6	42
39	23	●	31	30	●	●	52	2
●	12	21	●	●	22	5	8	●
40	●	9	38	●	37	49	●	53

076 解答

5	2	3	1	4	7	8	9	6
4	8	7	9	2	6	5	1	3
6	9	1	5	3	8	2	7	4
1	4	5	7	8	3	9	6	2
2	7	6	4	5	9	3	8	1
8	3	9	2	6	1	4	5	7
9	6	4	8	1	2	7	3	5
3	5	8	6	7	4	1	2	9
7	1	2	3	9	5	6	4	8

QUESTION

079

LEVEL ♛♛♛♛♛ TIME 分

CHECK 1 2 3 4 5 6 7 8 9

	3			5	4	2	6	
			1	6		4	5	
		4	9				7	
	5	3				9	2	
	2				1	3		
	7	2		9	3			
	1	6	2	7			3	

079 ヒント

38	37	12	7	5	29	52	53	51
34	●	13	20	●	●	●	●	31
6	32	28	●	●	30	●	●	8
47	46	●	●	3	4	41	●	22
43	●	●	19	45	18	●	●	40
27	●	26	10	44	●	●	42	24
23	●	●	16	●	●	25	49	48
36	●	●	●	●	17	21	●	50
9	35	33	15	1	14	11	39	2

077 解答

5	9	7	2	3	6	8	1	4
8	2	1	9	4	7	5	3	6
3	6	4	5	8	1	9	2	7
7	8	5	1	6	4	2	9	3
2	1	6	3	5	9	7	4	8
4	3	9	7	2	8	6	5	1
6	5	2	8	1	3	4	7	9
9	4	3	6	7	5	1	8	2
1	7	8	4	9	2	3	6	5

QUESTION
080

LEVEL ♛♛♛♛♕ TIME 分

CHECK 1 2 3 4 5 6 7 8 9

				2				
	2				6		1	
		4	5	7	8	6		
		2				4	6	
9		1				7		2
	8	6				5		
		7	4	6	2	9		
	4		1				7	
				5				

080 ヒント

35	36	49	52	●	1	50	31	32
48	●	42	53	4	●	51	●	34
28	27	●	●	●	●	●	2	19
26	25	●	16	21	7	●	●	23
●	8	●	9	18	6	●	17	●
5	●	●	3	22	13	●	20	24
41	29	●	●	●	●	●	30	39
37	●	44	●	15	47	11	●	40
12	45	43	14	●	46	10	33	38

078 解答

1	3	8	9	6	5	2	4	7
7	6	4	2	3	1	8	9	5
9	2	5	8	4	7	6	3	1
5	7	3	6	1	4	9	2	8
6	8	9	7	5	2	3	1	4
4	1	2	3	9	8	7	5	6
3	9	1	4	7	6	5	8	2
2	5	7	1	8	9	4	6	3
8	4	6	5	2	3	1	7	9

QUESTION

081

LEVEL ♛♛♛♛♛ TIME 分

CHECK 1 2 3 4 5 6 7 8 9

5			1		4			
	7		3		5			
		1		6		8		
2	9						4	1
		6				9		
7	5						2	6
		2		4		1		
			2		3		8	
			6		9			3

081 ヒント

●	23	24	●	28	●	43	44	45
25	●	26	●	27	●	30	1	29
13	11	●	15	●	12	●	14	8
●	●	20	34	38	3	36	●	●
51	50	●	19	37	10	●	35	4
●	●	18	21	16	6	5	●	●
49	48	●	9	●	7	●	47	42
53	52	40	●	33	●	46	●	31
22	17	41	●	32	●	2	39	●

079 解答

6	4	5	3	2	7	8	9	1
9	3	1	8	5	4	2	6	7
2	8	7	1	6	9	4	5	3
8	6	4	9	3	2	1	7	5
1	5	3	7	8	6	9	2	4
7	2	9	5	4	1	3	8	6
5	7	2	4	9	3	6	1	8
4	1	6	2	7	8	5	3	9
3	9	8	6	1	5	7	4	2

QUESTION

082

LEVEL 👑👑👑👑👑 TIME 分

CHECK 1 2 3 4 5 6 7 8 9

				9				
	4		1				7	
		5	3	2	7	9		
	9	8				1		
4		2				3		5
		3				2	8	
		1	2	8	3	4		
	3				9		1	
			4					

082 ヒント

16	53	52	21	●	27	38	13	43
14	●	5	●	28	26	29	●	17
42	47	●	●	●	●	●	37	44
41	●	●	19	3	2	●	34	35
●	40	●	30	46	31	●	7	●
39	18	●	8	45	20	●	●	36
9	49	●	●	●	●	●	6	33
24	●	4	50	22	●	32	●	12
23	15	48	51	●	1	25	11	10

080 解答

7	6	9	3	2	1	8	5	4
8	2	5	9	4	6	3	1	7
1	3	4	5	7	8	6	2	9
3	7	2	8	9	5	4	6	1
9	5	1	6	3	4	7	8	2
4	8	6	2	1	7	5	9	3
5	1	7	4	6	2	9	3	8
6	4	3	1	8	9	2	7	5
2	9	8	7	5	3	1	4	6

QUESTION
083

LEVEL TIME 分

CHECK 1 2 3 4 5 6 7 8 9

				2				
	9	5	4			3	7	
	2				3		4	
	4		6		5	8		
3								7
		9	7		1		3	
	3		1				5	
	7	1			4	9	2	
				7				

083 ヒント

4	23	2	43	●	5	17	27	39
38	●	●	●	36	41	●	●	1
37	●	22	42	35	●	18	●	40
21	●	20	●	3	●	●	28	29
●	8	16	46	11	47	9	14	●
24	25	●	●	15	●	7	●	10
48	●	13	●	53	44	6	●	51
31	●	●	33	52	●	●	●	50
49	26	19	32	●	45	12	30	34

081 解答

5	8	3	1	2	4	7	6	9
6	7	9	3	8	5	4	1	2
4	2	1	9	6	7	8	3	5
2	9	8	7	3	6	5	4	1
1	3	6	4	5	2	9	7	8
7	5	4	8	9	1	3	2	6
3	6	2	5	4	8	1	9	7
9	1	5	2	7	3	6	8	4
8	4	7	6	1	9	2	5	3

QUESTION

084

LEVEL ♛♛♛♛♛ TIME 分

CHECK 1 2 3 4 5 6 7 8 9

		3				9		7
	4						1	
9				4	1	8		3
				5		3		
		6	2		8	1		
		5		3				
6		8	7	1				9
	2						8	
3		1				2		

084 ヒント

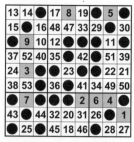

13	14	●	17	8	19	●	5	●
15	●	16	48	47	33	29	●	30
●	9	10	12	●	●	●	11	●
37	52	40	35	●	42	●	51	39
24	3	●	●	23	●	●	22	21
38	53	●	36	●	41	34	49	50
●	7	●	●	●	2	6	4	●
43	●	44	32	20	31	26	●	1
●	25	●	45	18	46	●	28	27

082 解答

3	8	7	4	9	5	6	2	1
2	4	9	1	6	8	5	7	3
1	6	5	3	2	7	9	4	8
7	9	8	5	3	2	1	6	4
4	1	2	8	7	6	3	9	5
6	5	3	9	1	4	2	8	7
9	7	1	2	8	3	4	5	6
8	3	4	6	5	9	7	1	2
5	2	6	7	4	1	8	3	9

QUESTION
085

LEVEL ♛♛♛♛♛ TIME 分

CHECK 1 2 3 4 5 6 7 8 9

	1						7	6
4			3		1			8
		2				9		
	2		6	1			9	
			9		3			
	6			7	5		8	
		5				1		
6			4		2			7
8	4						3	

085 ヒント

22	●	27	23	17	42	31	●	●
●	6	4	●	8	●	14	15	●
26	28	●	49	45	48	●	30	29
35	●	47	●	●	44	18	●	24
19	25	46	●	43	●	33	37	32
20	●	21	16	●	●	36	●	38
3	10	●	52	50	51	●	39	41
●	9	2	●	11	●	5	13	●
●	●	7	1	12	53	40	●	34

083 解答

4	6	3	9	2	7	1	8	5
8	9	5	4	1	6	3	7	2
1	2	7	8	5	3	6	4	9
7	4	2	6	3	5	8	9	1
3	1	8	2	4	9	5	6	7
6	5	9	7	8	1	2	3	4
2	3	4	1	9	8	7	5	6
5	7	1	3	6	4	9	2	8
9	8	6	5	7	2	4	1	3

QUESTION

086

LEVEL ♛♛♛♛♕ TIME 分

CHECK 1 2 3 4 5 6 7 8 9

				3			7	
		1	2			8		9
	5		7	9			4	
	6	2						
8		5				4		6
						1	2	
	8			4	9		1	
2		3			8	6		
	4			2				

086 ヒント

50	1	44	5	●	14	11	●	12
48	49	●	●	16	15	●	4	●
17	●	6	●	●	13	28	●	29
43	●	●	40	8	32	22	19	23
●	39	●	42	24	2	●	21	●
51	53	52	41	7	20	●	●	9
35	●	45	31	●	●	26	●	27
●	46	●	18	37	●	●	34	3
38	●	47	36	●	25	30	10	33

084 解答

5	1	3	8	2	6	9	4	7
8	4	2	9	7	3	5	1	6
9	6	7	5	4	1	8	2	3
1	8	4	6	5	7	3	9	2
7	3	6	2	9	8	1	5	4
2	9	5	1	3	4	6	7	8
6	5	8	7	1	2	4	3	9
4	2	9	3	6	5	7	8	1
3	7	1	4	8	9	2	6	5

QUESTION

087

LEVEL ♛♛♛♛♕ TIME 分

CHECK 1 2 3 4 5 6 7 8 9

		9				5		
	8			3			7	
7			4			1		9
		4		7	1			
	5		2		6		1	
			5	8		2		
8		6			5			4
	2			6			9	
		1				7		

087 ヒント

33	32	●	39	40	14	●	29	22
34	●	37	41	●	21	28	●	31
●	38	17	●	3	16	●	30	●
2	45	●	12	●	●	51	48	52
7	●	4	●	24	●	53	●	5
44	35	8	●	●	25	●	26	27
●	9	●	42	43	●	6	10	●
49	●	18	13	●	23	11	●	1
50	36	●	15	20	19	●	46	47

085 解答

9	1	3	5	2	8	4	7	6
4	7	6	3	9	1	5	2	8
5	8	2	7	4	6	9	1	3
3	2	8	6	1	4	7	9	5
7	5	4	9	8	3	2	6	1
1	6	9	2	7	5	3	8	4
2	3	5	8	6	7	1	4	9
6	9	1	4	3	2	8	5	7
8	4	7	1	5	9	6	3	2

QUESTION

088

LEVEL ♛♛♛♛♛ TIME 分

CHECK 1 2 3 4 5 6 7 8 9

				8				2
			7	6	4	1		
		1			2		3	
	3					4	6	
2	6						7	3
	1	9					5	
	9		6			7		
		3	9	4	7			
5				2				

088 ヒント

13	33	21	43	●	44	18	7	●
10	28	27	●	●	●	●	20	17
37	38	●	11	12	●	19	●	6
53	●	46	3	50	14	●	●	1
●	●	39	51	15	47	8	●	●
52	●	●	40	41	5	2	●	9
23	●	36	●	48	42	●	25	30
22	26	●	●	●	●	32	24	31
●	35	34	45	●	49	4	16	29

086 解答

9	2	4	8	3	6	5	7	1
7	3	1	2	5	4	8	6	9
6	5	8	7	9	1	2	4	3
4	6	2	1	8	3	9	5	7
8	1	5	9	7	2	4	3	6
3	9	7	4	6	5	1	2	8
5	8	6	3	4	9	7	1	2
2	7	3	5	1	8	6	9	4
1	4	9	6	2	7	3	8	5

QUESTION
089

LEVEL ♛♛♛♛♛ TIME 分

CHECK 1 2 3 4 5 6 7 8 9

		4						
	2		7	4	1			
6			5	2				
	8	6			9		5	
	4	7				1	6	
	1		2			7	3	
				1	8			2
			6	5	7		8	
						5		

089 ヒント

23	26	●	51	50	12	30	3	29
27	●	18	●	●	●	46	17	44
●	19	28	●	●	14	25	22	45
7	●	●	1	13	●	2	●	9
4	●	●	34	33	10	●	●	16
40	●	39	●	11	8	●	●	15
49	41	53	32	●	●	43	37	●
38	20	6	●	●	●	48	●	21
52	42	24	35	36	5	●	47	31

087 解答

4	3	9	6	1	7	5	8	2
1	8	5	9	3	2	4	7	6
7	6	2	4	5	8	1	3	9
2	9	4	3	7	1	6	5	8
3	5	8	2	4	6	9	1	7
6	1	7	5	8	9	2	4	3
8	7	6	1	9	5	3	2	4
5	2	3	7	6	4	8	9	1
9	4	1	8	2	3	7	6	5

QUESTION

090

LEVEL ♛♛♛♛♛ TIME 分

CHECK 1 2 3 4 5 6 7 8 9

				6				1
	8		9		2		7	
		6				5		
	3		6	9			1	
8			3		4			9
	4			2	8		5	
		4				2		
	2		7		1		9	
7				3				

090 ヒント

39	17	40	44	●	34	5	36	●
38	●	37	●	15	●	45	●	31
21	20	●	43	14	35	●	46	8
41	●	42	●	●	13	48	●	47
●	10	11	●	12	●	18	7	●
19	●	16	6	●	●	30	●	29
25	22	●	33	51	32	●	52	4
9	●	24	●	3	●	28	●	27
●	26	23	2	●	50	1	49	53

088 解答

9	7	6	3	8	1	5	4	2
3	5	2	7	6	4	1	8	9
4	8	1	5	9	2	6	3	7
8	3	5	2	7	9	4	6	1
2	6	4	8	1	5	9	7	3
7	1	9	4	3	6	2	5	8
1	9	8	6	5	3	7	2	4
6	2	3	9	4	7	8	1	5
5	4	7	1	2	8	3	9	6

QUESTION

091

LEVEL ♛♛♛♛♛ TIME 分

CHECK 1 2 3 4 5 6 7 8 9

	2	1		3		4		
	7		2		5		9	
		4	8	6		7		
	1		9		4		8	
		7		2	3	1		
	3		1		8		5	
		6		5		8	1	

091 ヒント

20	25	11	5	31	30	34	35	33
22	●	●	27	●	8	●	48	49
6	●	26	●	32	●	45	●	41
18	21	●	●	●	1	●	42	43
17	●	19	●	4	●	37	●	36
52	53	●	3	●	●	●	13	14
10	●	12	●	16	●	47	●	46
9	7	●	44	●	29	●	●	39
2	24	23	50	51	28	40	15	38

089 解答

1	7	4	9	8	6	3	2	5
5	2	3	7	4	1	8	9	6
6	9	8	5	2	3	4	1	7
3	8	6	1	7	9	2	5	4
2	4	7	8	3	5	1	6	9
9	1	5	2	6	4	7	3	8
7	5	9	3	1	8	6	4	2
4	3	2	6	5	7	9	8	1
8	6	1	4	9	2	5	7	3

QUESTION

092

LEVEL ♛♛♛♛♛ TIME 分

CHECK 1 2 3 4 5 6 7 8 9

5								6
		4		3		7		
	8			1		9	5	
				7	5			
	4	5	6		9	1	7	
			8	4				
	9	2		8			1	
		6		5		3		
7								9

092 ヒント

●	20	14	31	5	32	23	15	●
6	27	●	2	●	37	●	25	1
26	●	16	36	●	35	●	●	24
43	49	39	45	●	●	33	41	53
50	●	●	●	12	●	●	●	52
42	48	21	●	●	44	10	40	51
17	●	●	34	●	38	8	●	9
18	13	●	4	●	30	●	22	11
●	3	19	46	7	47	28	29	●

090 解答

4	7	2	8	6	5	9	3	1
5	8	3	9	1	2	4	7	6
1	9	6	4	7	3	5	8	2
2	3	5	6	9	7	8	1	4
8	6	1	3	5	4	7	2	9
9	4	7	1	2	8	6	5	3
3	1	4	5	8	9	2	6	7
6	2	8	7	4	1	3	9	5
7	5	9	2	3	6	1	4	8

QUESTION

093

LEVEL ♛♛♛♛♛ TIME 分

CHECK 1 2 3 4 5 6 7 8 9

		9				7	4	
				5			8	6
1		6				9		3
				6	1			
	2		9		5		7	
			8	2				
3		2				4		5
6	1			9				
	4	7				2		

093 ヒント

23	22	●	38	51	49	●	●	2
4	30	6	21	●	10	3	●	●
●	29	●	48	16	50	●	1	●
53	24	33	45	●	●	26	5	42
15	●	28	●	18	●	8	●	34
52	7	27	●	●	44	25	43	41
●	32	●	36	17	35	●	39	●
●	●	13	46	●	47	12	11	9
31	●	●	14	37	19	●	20	40

091 解答

3	6	9	4	8	7	5	2	1
5	2	1	6	3	9	4	7	8
4	7	8	2	1	5	6	9	3
2	5	4	8	6	1	7	3	9
6	1	3	9	7	4	2	8	5
8	9	7	5	2	3	1	6	4
7	3	2	1	4	8	9	5	6
9	4	6	3	5	2	8	1	7
1	8	5	7	9	6	3	4	2

QUESTION

094

LEVEL TIME 分

CHECK 1 2 3 4 5 6 7 8 9

	6			2			3	
3		7				4		6
	9	8					2	
				4	9			
4			6		2			1
			5	3				
	7					3	6	
8		3				9		4
	4			1			5	

094 ヒント

38	●	5	23	●	33	36	●	40
●	2	●	17	32	34	●	22	●
39	●	●	29	10	28	37	●	41
48	18	42	15	●	●	49	51	3
●	4	24	●	13	●	43	20	●
14	19	47	●	●	16	50	6	21
46	●	9	27	25	26	●	●	35
●	8	●	7	12	11	●	1	●
53	●	52	31	●	30	44	●	45

092 解答

5	7	1	2	9	4	8	3	6
9	6	4	5	3	8	7	2	1
2	8	3	7	1	6	9	5	4
1	2	9	3	7	5	4	6	8
8	4	5	6	2	9	1	7	3
6	3	7	8	4	1	5	9	2
3	9	2	4	8	7	6	1	5
4	1	6	9	5	2	3	8	7
7	5	8	1	6	3	2	4	9

QUESTION
095

LEVEL ♛♛♛♛♛ TIME 分

CHECK 1 2 3 4 5 6 7 8 9

		1		5		9	2	
	2	6		8	3		7	
			2		8	3		
	9	2				1	4	
		7	4		5			
	5		7	3		2	1	
	1	9		2		8		

095 ヒント

29	32	40	27	34	1	48	49	47
30	33	●	11	●	35	●	●	31
41	●	●	28	●	●	42	●	26
51	43	50	●	22	●	●	18	13
19	●	●	4	52	53	●	●	16
23	24	●	●	21	●	12	17	2
38	●	20	●	●	8	●	●	46
10	●	●	6	●	37	●	45	44
3	39	25	5	36	7	9	15	14

093 解答

5	3	9	1	8	6	7	4	2
2	7	4	3	5	9	1	8	6
1	8	6	2	4	7	9	5	3
9	5	8	7	6	1	3	2	4
4	2	1	9	3	5	6	7	8
7	6	3	8	2	4	5	9	1
3	9	2	6	7	8	4	1	5
6	1	5	4	9	2	8	3	7
8	4	7	5	1	3	2	6	9

QUESTION

096

LEVEL ♛♛♛♛♛ TIME 分

CHECK 1 2 3 4 5 6 7 8 9

2								4
		1		7		2		
	3	4		6		1	9	
			6		5			
	9	2				5	4	
			9		8			
	1	6		5		3	8	
		7		1		9		
3								2

096 ヒント

●	41	42	18	47	12	34	20	●
51	50	●	35	●	36	●	32	17
13	●	●	46	●	14	●	●	33
6	26	30	●	24	●	44	22	5
29	●	●	11	16	10	●	●	45
28	27	21	●	25	●	31	23	7
38	●	●	15	●	53	●	●	4
48	2	●	37	●	19	●	39	40
●	43	49	9	52	8	3	1	●

094 解答

1	6	4	9	2	7	8	3	5
3	2	7	1	5	8	4	9	6
5	9	8	3	6	4	1	2	7
6	1	5	7	4	9	2	8	3
4	3	9	6	8	2	5	7	1
7	8	2	5	3	1	6	4	9
2	7	1	4	9	5	3	6	8
8	5	3	2	7	6	9	1	4
9	4	6	8	1	3	7	5	2

QUESTION

097

LEVEL ♛♛♛♛♕ TIME 分

CHECK 1 2 3 4 5 6 7 8 9

	4						9	2
2				4	7			5
		6				1		
				7	5		6	
	7		2		1		8	
	1		6	3				
		2				3		
1			9	6				4
4	8						5	

097 ヒント

36	●	35	33	39	7	19	●	●
●	12	37	34	●	●	8	6	●
20	32	●	38	15	14	●	5	18
31	3	53	44	●	●	41	●	1
9	●	45	●	13	●	40	●	4
52	●	47	●	●	43	25	24	42
49	10	●	46	50	51	●	2	23
●	48	22	●	●	29	17	26	●
●	●	30	21	16	28	27	●	11

095 解答

9	8	4	1	7	2	5	6	3
3	7	1	6	5	4	9	2	8
5	2	6	9	8	3	4	7	1
6	4	5	2	1	8	3	9	7
8	9	2	3	6	7	1	4	5
1	3	7	4	9	5	6	8	2
4	5	8	7	3	9	2	1	6
7	1	9	5	2	6	8	3	4
2	6	3	8	4	1	7	5	9

QUESTION

098

LEVEL ♛♛♛♛♛ TIME 分

CHECK 1 2 3 4 5 6 7 8 9

		1				5		
	3		7				2	
8			2	4				3
	6	2		1				
		4	9		2	7		
				6		1	4	
5				9	3			4
	1				4		9	
		3				8		

098 ヒント

14	12	●	38	32	39	●	17	18
15	●	26	●	24	21	5	●	19
●	51	50	●	●	25	7	20	●
33	●	●	6	●	46	8	37	41
1	47	●	●	30	●	●	34	40
52	35	53	31	●	45	●	●	2
●	49	48	23	●	●	4	42	●
11	●	44	27	16	●	3	●	36
9	10	●	28	13	29	●	43	22

096 解答

2	6	5	3	9	1	8	7	4
9	8	1	5	7	4	2	6	3
7	3	4	8	6	2	1	9	5
1	4	8	6	2	5	7	3	9
6	9	2	1	3	7	5	4	8
5	7	3	9	4	8	6	2	1
4	1	6	2	5	9	3	8	7
8	2	7	4	1	3	9	5	6
3	5	9	7	8	6	4	1	2

QUESTION

099

LEVEL ♛♛♛♛♛ TIME 分

CHECK 1 2 3 4 5 6 7 8 9

	8						3	
6				2				7
		5	3		6	1		
		8	5		4	7		
	1						6	
		3	9		1	5		
		2	6		7	3		
3				4				9
	4						8	

099 ヒント

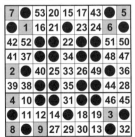

7	●	53	20	15	17	43	●	5
●	1	16	21	●	23	24	6	●
42	52	●	●	22	●	●	51	50
41	37	●	●	34	●	●	48	47
2	●	40	25	33	26	49	●	36
39	38	●	●	35	●	●	44	28
4	10	●	●	31	●	●	46	45
●	11	12	14	●	18	19	3	●
8	●	9	27	29	30	13	●	32

097 解答

5	4	1	3	8	6	7	9	2
2	9	8	1	4	7	6	3	5
7	3	6	5	2	9	1	4	8
3	2	9	8	7	5	4	6	1
6	7	4	2	9	1	5	8	3
8	1	5	6	3	4	2	7	9
9	6	2	4	5	8	3	1	7
1	5	7	9	6	3	8	2	4
4	8	3	7	1	2	9	5	6

QUESTION

100

LEVEL ♛♛♛♛♛ TIME 分

CHECK 1 2 3 4 5 6 7 8 9

4								1
		8		6		2		
	5	7		3			9	
				2	5			
	1	5	9		3	7	2	
			8	1				
	2			5		9	1	
		4		8		3		
3								4

100 ヒント

●	19	39	16	46	36	25	22	●
38	21	●	15	●	47	●	23	24
37	●	●	40	●	26	14	●	20
48	11	43	32	●	●	1	13	45
18	●	●	●	7	●	●	●	17
49	12	42	●	●	33	31	30	44
10	●	8	3	●	4	●	●	9
5	53	●	50	●	41	●	29	2
●	52	6	35	51	34	28	27	●

098 解答

4	2	1	6	3	9	5	8	7
6	3	5	7	8	1	4	2	9
8	9	7	2	4	5	6	1	3
3	6	2	4	1	7	9	5	8
1	8	4	9	5	2	7	3	6
7	5	9	3	6	8	1	4	2
5	7	8	1	9	3	2	6	4
2	1	6	8	7	4	3	9	5
9	4	3	5	2	6	8	7	1

QUESTION 101

LEVEL ♛♛♛♛♕ TIME 分

CHECK 1 2 3 4 5 6 7 8 9

		3		1				
	5			9			7	
8		4	3		2			
		6			1	2		
7	4						6	1
		5	9			7		
			5		4	1		9
	3			2			4	
				3		6		

101 ヒント

10	49	●	45	●	30	43	42	51
19	●	24	47	●	46	44	●	35
●	48	●	●	31	●	11	1	50
9	14	●	29	38	●	●	12	36
●	●	13	2	26	32	34	●	●
18	17	●	●	39	33	●	6	37
23	25	53	●	28	●	●	3	●
5	●	22	20	●	16	7	●	8
4	15	52	21	●	27	●	40	41

099 解答

2	8	9	7	1	5	4	3	6
6	3	1	4	2	9	8	5	7
4	7	5	3	8	6	1	9	2
9	6	8	5	3	4	7	2	1
5	1	4	8	7	2	9	6	3
7	2	3	9	6	1	5	4	8
8	9	2	6	5	7	3	1	4
3	5	6	1	4	8	2	7	9
1	4	7	2	9	3	6	8	5

QUESTION

102

LEVEL ♛♛♛♛♛ TIME 分

CHECK 1 2 3 4 5 6 7 8 9

		5				4		
		2		3			7	
6	7	1				9		5
				5	3			
	5		6		9		2	
			1	4				
1		9				7	5	4
	4			1		8		
		8				2		

102 ヒント

39	40	●	17	24	11	●	26	2
3	30	●	53	●	49	10	●	25
●	●	●	52	20	46	●	13	●
38	1	14	34	●	●	12	4	31
18	●	5	●	16	●	7	●	8
35	37	29	●	●	33	6	32	15
●	19	●	21	22	23	●	●	●
51	●	41	47	●	36	●	27	43
50	28	●	45	48	44	●	9	42

100 解答

4	6	9	5	7	2	8	3	1
1	3	8	4	6	9	2	7	5
2	5	7	1	3	8	4	9	6
7	8	3	6	2	5	1	4	9
6	1	5	9	4	3	7	2	8
9	4	2	8	1	7	6	5	3
8	2	6	3	5	4	9	1	7
5	9	4	7	8	1	3	6	2
3	7	1	2	9	6	5	8	4

QUESTION

103

LEVEL ♛♛♛♛♛ TIME 分

CHECK 1 2 3 4 5 6 7 8 9

		4						
			8		5	3		
1		8		4		5	2	
	6		1		4		8	
		2				1		
	8		5		7		3	
	4	3		8		9		2
		7	3		2			
						6		

103 ヒント

41	12	●	5	44	33	52	53	51
10	42	6	●	43	●	●	39	45
●	32	●	24	●	34	●	●	25
31	●	13	●	28	●	26	●	50
36	37	●	23	29	4	●	49	48
35	●	1	●	30	●	27	●	38
11	●	●	18	●	19	●	21	●
14	9	●	●	16	●	40	47	46
7	8	15	3	17	20	●	22	2

101 解答

9	6	3	4	1	7	5	2	8
1	5	2	8	9	6	4	7	3
8	7	4	3	5	2	9	1	6
3	8	6	7	4	1	2	9	5
7	4	9	2	8	5	3	6	1
2	1	5	9	6	3	7	8	4
6	2	8	5	7	4	1	3	9
5	3	1	6	2	9	8	4	7
4	9	7	1	3	8	6	5	2

QUESTION

104

LEVEL ♛♛♛♛♕ TIME 分

CHECK 1 2 3 4 5 6 7 8 9

	1				5		8	
		5	9	3	2	6		
		4	6		3	8	9	
		9				7		
	3	8	2		1	5		
		1	7	8	9	4		
	4		1				2	

104 ヒント

20	18	35	10	1	9	41	45	46
36	●	24	11	8	●	37	●	47
21	23	●	●	●	●	●	27	28
30	34	●	●	15	●	●	●	32
33	22	●	7	14	12	●	29	31
16	●	●	●	13	●	●	43	44
49	38	●	●	●	●	●	40	42
52	●	39	●	5	6	51	●	26
53	25	19	3	2	4	17	48	50

102 解答

3	9	5	7	6	1	4	8	2
4	8	2	9	3	5	1	7	6
6	7	1	8	2	4	9	3	5
9	1	7	2	5	3	6	4	8
8	5	4	6	7	9	3	2	1
2	3	6	1	4	8	5	9	7
1	2	9	3	8	6	7	5	4
7	4	3	5	1	2	8	6	9
5	6	8	4	9	7	2	1	3

QUESTION

105

LEVEL ♛♛♛♛♛ TIME 分

CHECK 1 2 3 4 5 6 7 8 9

		2				6		
	3			4				
1		4		3		5		2
				1	8			
	7	9	2		4	1	8	
			3	7				
3		1		2		9		5
				5			2	
		7				3		

105 ヒント

15	16	●	32	19	44	●	5	7
21	●	13	43	●	2	40	53	47
●	20	●	42	●	41	●	52	●
24	11	3	31	●	●	36	29	33
8	●	●	●	14	●	●	●	4
23	1	22	●	●	30	12	25	37
●	27	●	38	●	51	●	48	●
17	34	35	45	●	6	26	●	49
10	9	●	28	18	50	●	46	39

103 解答

7	5	4	2	1	3	8	9	6
2	9	6	8	7	5	3	4	1
1	3	8	6	4	9	5	2	7
3	6	5	1	2	4	7	8	9
4	7	2	9	3	8	1	6	5
9	8	1	5	6	7	2	3	4
5	4	3	7	8	6	9	1	2
6	1	7	3	9	2	4	5	8
8	2	9	4	5	1	6	7	3

QUESTION

106

LEVEL ♛♛♛♛♛ TIME 分

CHECK 1 2 3 4 5 6 7 8 9

								4
	4		9		3	5	2	
		2		1			6	
	7		4		1		3	
		1				4		
	3		5		6		8	
	1			5		3		
	6	9	8		2		5	
2								

106 ヒント

38	51	37	9	47	6	35	7	●
8	●	36	●	46	●	●	●	52
18	50	●	12	●	5	53	●	4
17	●	19	●	29	●	24	●	23
20	2	●	10	32	13	●	27	21
15	●	14	●	31	●	25	●	26
45	●	16	11	●	49	●	42	3
44	●	●	●	40	●	28	●	34
●	22	39	1	41	48	33	43	30

104 解答

6	9	2	8	1	7	3	4	5
3	1	7	4	6	5	2	8	9
4	8	5	9	3	2	6	7	1
1	5	4	6	7	3	8	9	2
2	6	9	5	4	8	7	1	3
7	3	8	2	9	1	5	6	4
5	2	1	7	8	9	4	3	6
8	4	3	1	5	6	9	2	7
9	7	6	3	2	4	1	5	8

QUESTION
107

LEVEL ♛♛♛♛♛ TIME 分

CHECK 1 2 3 4 5 6 7 8 9

		1	9	2		4		
	5		7		1	2	6	
	9	5			3	1		
	3						4	
		8	1			5	2	
	2	6	4		8		5	
		9		5	2	7		

107 ヒント

51	43	41	32	15	27	48	19	36
50	37	●	●	●	31	●	9	34
28	●	14	●	33	●	●	●	49
39	●	●	47	30	●	●	25	45
1	●	38	42	44	35	53	●	52
40	29	●	●	46	26	●	●	3
12	●	●	●	24	●	10	●	18
11	21	●	7	●	●	●	17	4
5	22	13	8	20	23	6	16	2

105 解答

7	9	2	5	8	1	6	3	4
6	3	5	7	4	2	8	9	1
1	8	4	6	3	9	5	7	2
4	2	3	9	1	8	7	5	6
5	7	9	2	6	4	1	8	3
8	1	6	3	7	5	2	4	9
3	4	1	8	2	7	9	6	5
9	6	8	1	5	3	4	2	7
2	5	7	4	9	6	3	1	8

QUESTION

108

LEVEL ♛♛♛♛♛ TIME 分

CHECK 1 2 3 4 5 6 7 8 9

				3		2		
				1	4			
		3	2		6	9		1
		2				3	1	
7	3						2	4
	5	6				7		
2		9	5		3	4		
			1	9				
		5		6				

108 ヒント

10	31	41	43	●	13	●	33	34
27	3	42	44	●	●	23	24	25
12	32	●	●	20	●	●	35	●
49	48	●	17	7	18	●	●	15
●	●	9	21	14	22	16	●	●
8	●	●	4	6	11	●	52	53
●	2	●	●	19	●	●	36	50
45	28	29	●	●	39	26	47	37
46	30	●	5	●	40	1	51	38

106 解答

3	9	6	2	8	5	7	1	4
1	4	7	9	6	3	5	2	8
5	8	2	7	1	4	9	6	3
8	7	5	4	2	1	6	3	9
6	2	1	3	9	8	4	7	5
9	3	4	5	7	6	2	8	1
7	1	8	6	5	9	3	4	2
4	6	9	8	3	2	1	5	7
2	5	3	1	4	7	8	9	6

QUESTION

109

LEVEL ♛♛♛♛♕ TIME 分

CHECK 1 2 3 4 5 6 7 8 9

		1				2	5	
			1		9			3
6				2				7
	5		2		6		9	
		6				4		
	1		3		4		7	
8				1				2
5			4		3			
	3	9				5		

109 ヒント

25	18	●	13	5	14	●	●	23
37	36	12	●	11	●	43	42	●
●	22	6	16	●	15	26	27	●
21	●	31	●	48	●	7	●	8
9	30	●	44	41	1	●	3	38
34	●	35	●	49	●	40	●	39
●	19	20	51	●	17	29	10	●
●	32	33	●	46	●	28	52	53
2	●	●	50	45	4	●	24	47

107 解答

9	6	2	5	3	4	8	1	7
8	7	1	9	2	6	4	3	5
4	5	3	7	8	1	2	6	9
2	9	5	8	4	3	1	7	6
1	3	7	2	6	5	9	4	8
6	4	8	1	7	9	5	2	3
7	2	6	4	9	8	3	5	1
3	1	9	6	5	2	7	8	4
5	8	4	3	1	7	6	9	2

QUESTION

110

LEVEL ♛♛♛♛♕ TIME 分

CHECK 1 2 3 4 5 6 7 8 9

4								1
		7		5		9	2	
	2	9			1		7	
			5		3	4		
	3						6	
		4	8		7			
	1		2			8	9	
	9	5		7		1		
2								6

110 ヒント

●	27	19	4	47	46	22	30	●
1	28	●	16	●	23	●	●	25
26	●	●	24	15	●	21	●	29
49	6	39	●	50	●	●	35	52
10	●	36	51	45	44	13	●	8
31	48	●	●	37	●	14	34	53
5	●	18	●	42	41	●	●	33
17	●	●	20	●	12	●	9	2
●	3	11	38	40	43	7	32	●

108 解答

1	9	8	7	3	5	2	4	6
6	2	7	9	1	4	8	5	3
5	4	3	2	8	6	9	7	1
9	8	2	6	4	7	3	1	5
7	3	1	8	5	9	6	2	4
4	5	6	3	2	1	7	8	9
2	1	9	5	7	3	4	6	8
8	6	4	1	9	2	5	3	7
3	7	5	4	6	8	1	9	2

QUESTION

111

LEVEL ♛♛♛♛ TIME 分

CHECK 1 2 3 4 5 6 7 8 9

9								7
				8	2	1	3	
		1				5	2	
				6	7		8	
	1		4		9		5	
	6		8	5				
	7	6				2		
	9	2	1	4				
5								6

111 ヒント

●	6	49	43	2	44	38	8	●
47	18	22	50	●	●	●	●	20
48	27	●	51	46	40	●	●	39
34	15	14	32	●	●	30	●	3
24	●	23	●	31	●	7	●	35
33	●	21	●	●	1	12	16	36
4	●	●	45	53	52	●	17	28
26	●	●	●	●	9	29	11	10
●	25	19	41	37	42	13	5	●

109 解答

9	8	1	6	3	7	2	5	4
7	2	5	1	4	9	8	6	3
6	4	3	5	2	8	9	1	7
4	5	7	2	8	6	3	9	1
3	9	6	7	5	1	4	2	8
2	1	8	3	9	4	6	7	5
8	6	4	9	1	5	7	3	2
5	7	2	4	6	3	1	8	9
1	3	9	8	7	2	5	4	6

QUESTION

112

LEVEL ♛♛♛♛♛ TIME 分

CHECK 1 2 3 4 5 6 7 8 9

	4					5	9	
8						6		1
		3		8			4	7
				3	9			
		5	8		7	3		
			1	4				
7	5			2		9		
2		8						3
	3	6					1	

112 ヒント

16	●	35	29	42	30	●	●	5
●	46	47	33	39	34	●	2	●
4	12	●	43	●	13	6	●	●
11	48	20	36	●	●	1	44	40
49	17	●	●	9	●	●	10	21
3	38	45	●	●	37	50	27	51
●	●	15	31	●	32	●	25	26
●	19	●	24	14	28	22	8	●
18	●	●	41	53	52	23	●	7

110 解答

4	5	3	7	9	2	6	8	1
1	8	7	3	5	6	9	2	4
6	2	9	4	8	1	3	7	5
9	7	2	5	6	3	4	1	8
8	3	1	9	2	4	5	6	7
5	6	4	8	1	7	2	3	9
7	1	6	2	4	5	8	9	3
3	9	5	6	7	8	1	4	2
2	4	8	1	3	9	7	5	6

QUESTION
113

LEVEL　TIME　分

CHECK 1 2 3 4 5 6 7 8 9

					2			
	5		7	4	6		1	
		3		9		7		
	4						7	5
	7	5				3	6	
2	1						4	
		4		6		1		
	3		4	5	7		9	
			3					

113 ヒント

23	33	25	27	3	●	51	52	53
34	●	14	●	●	●	36	●	4
24	32	●	26	●	10	●	16	35
5	●	31	11	37	38	2	●	●
30	●	●	43	42	8	●	●	1
●	●	12	9	13	6	47	●	46
17	45	●	40	●	20	●	7	18
28	●	29	●	●	●	19	●	15
21	44	22	●	39	41	49	48	50

111 解答

9	2	8	3	1	5	4	6	7
7	4	5	6	8	2	1	3	9
6	3	1	9	7	4	5	2	8
4	5	9	2	6	7	3	8	1
8	1	7	4	3	9	6	5	2
2	6	3	8	5	1	7	9	4
1	7	6	5	9	8	2	4	3
3	9	2	1	4	6	8	7	5
5	8	4	7	2	3	9	1	6

QUESTION

114

LEVEL ♛♛♛♛♛ TIME 分

CHECK 1 2 3 4 5 6 7 8 9

		6	5			8		
			4		1		2	
7				3				1
3	9						5	
		5		6		1		
	1						8	3
5				9				2
	6		7		8			
		3			5	7		

114 ヒント

1	32	●	●	14	13	●	30	45
53	35	54	●	6	●	31	●	39
●	27	26	7	●	8	36	46	●
●	●	42	10	9	44	40	●	29
28	50	●	20	●	43	●	47	48
3	●	49	23	2	34	41	●	●
●	51	52	17	●	18	22	12	●
16	●	5	●	19	●	38	33	37
24	25	●	15	11	●	●	21	4

112 解答

1	4	2	6	7	3	5	9	8
8	7	9	4	5	2	6	3	1
5	6	3	9	8	1	2	4	7
6	8	4	2	3	9	1	7	5
9	1	5	8	6	7	3	2	4
3	2	7	1	4	5	8	6	9
7	5	1	3	2	4	9	8	6
2	9	8	7	1	6	4	5	3
4	3	6	5	9	8	7	1	2

QUESTION
115

LEVEL ♛♛♛♛♕ TIME 分

CHECK 1 2 3 4 5 6 7 8 9

		3			2	4	9	
	4	2		6		8	1	
			7		4		2	
		5		3		1		
	1		6		5			
	8	1		2		9	3	
	3	6	4			2		

115 ヒント

51	10	38	54	7	47	12	24	2
48	23	●	53	9	●	●	●	25
52	●	●	40	●	39	●	●	11
6	29	21	●	1	●	14	●	27
26	28	●	3	●	20	●	31	30
4	●	18	●	19	●	17	22	13
32	●	●	8	●	16	●	●	34
35	●	●	●	46	44	●	42	49
33	5	36	45	43	41	15	37	50

113 解答

7	6	1	8	3	2	4	5	9
9	5	2	7	4	6	8	1	3
4	8	3	1	9	5	7	2	6
3	4	9	6	8	1	2	7	5
8	7	5	9	2	4	3	6	1
2	1	6	5	7	3	9	4	8
5	9	4	2	6	8	1	3	7
1	3	8	4	5	7	6	9	2
6	2	7	3	1	9	5	8	4

QUESTION
116

LEVEL ♛♛♛♛♛ TIME 分

CHECK 1 2 3 4 5 6 7 8 9

		5	8		2	3		
							1	
1			7		6			9
3		2			8	5		6
6		7	4			8		3
8			3		7			1
	3							
		6	2		1	7		

116 ヒント

14	12	●	●	1	●	●	28	27
9	11	19	46	44	45	13	●	16
●	21	20	●	17	●	10	18	●
●	25	●	3	39	●	●	26	●
23	22	24	37	47	49	2	50	38
●	4	●	●	48	30	●	51	●
●	8	32	●	36	●	52	34	●
7	●	5	33	41	42	53	35	15
29	31	●	●	43	●	●	6	40

114 解答

1	3	6	5	2	9	8	4	7
8	5	9	4	7	1	3	2	6
7	2	4	8	3	6	5	9	1
3	9	2	1	8	7	6	5	4
4	8	5	3	6	2	1	7	9
6	1	7	9	5	4	2	8	3
5	7	8	6	9	3	4	1	2
2	6	1	7	4	8	9	3	5
9	4	3	2	1	5	7	6	8

QUESTION

117

LEVEL ♛♛♛♛♛ TIME 分

CHECK 1 2 3 4 5 6 7 8 9

	7	6	3			1	4	
	1		5	7			6	
	9	4		2				
		3	1		7	2		
				4		9	3	
	3			5	1		2	
	8	9			2	7	1	

117 ヒント

50	16	25	2	1	6	47	49	43
28	●	●	●	10	9	●	●	26
51	●	46	●	●	7	48	●	27
45	●	●	38	●	3	36	41	33
18	17	●	●	8	●	●	42	4
44	23	32	39	●	5	●	●	37
31	●	12	14	●	●	40	●	52
24	●	●	15	20	●	●	●	22
30	19	29	13	21	11	34	35	53

115 解答

8	5	7	9	4	1	3	6	2
1	6	3	8	5	2	4	9	7
9	4	2	3	6	7	8	1	5
3	9	8	7	1	4	5	2	6
6	7	5	2	3	8	1	4	9
2	1	4	6	9	5	7	8	3
7	8	1	5	2	6	9	3	4
5	3	6	4	8	9	2	7	1
4	2	9	1	7	3	6	5	8

QUESTION

118

LEVEL ♛♛♛♛♛ TIME 分

CHECK 1 2 3 4 5 6 7 8 9

2								9
	7	4			2			
	6	5	4			1		
		3		4	9		5	
			7		6			
	4		5	8		2		
		6			1	5	7	
			2			8	6	
1								4

118 ヒント

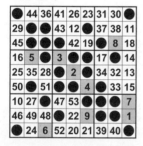

●	44	36	41	26	23	31	30	●
29	●	●	43	12	●	37	38	11
45	●	●	●	42	19	●	8	18
16	5	●	3	●	●	17	●	14
25	35	28	●	2	●	34	32	13
50	●	51	●	●	4	●	33	15
10	27	●	47	53	●	●	●	7
46	49	48	●	22	9	●	●	1
●	24	6	52	20	21	39	40	●

116 解答

9	6	5	8	1	2	3	7	4
2	7	8	9	4	3	6	1	5
1	4	3	7	5	6	2	8	9
3	9	2	1	7	8	5	4	6
5	8	4	6	3	9	1	2	7
6	1	7	4	2	5	8	9	3
8	2	9	3	6	7	4	5	1
7	3	1	5	8	4	9	6	2
4	5	6	2	9	1	7	3	8

QUESTION

119

LEVEL TIME 分

CHECK 1 2 3 4 5 6 7 8 9

8	2					4		5
1	4						6	
		3		6				1
			5	2				
		5	8		9	3		
				7	6			
2				1		5		
	1						8	7
7		4					2	9

119 ヒント

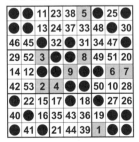

●	●	11	23	38	5	●	25	●
●	●	13	24	37	33	48	●	30
46	45	●	32	●	31	34	47	●
29	52	3	●	●	8	49	51	20
14	12	●	●	9	●	●	6	7
42	53	2	4	●	●	50	10	28
●	22	15	17	●	18	●	27	26
40	●	16	35	43	36	19	●	●
●	41	●	21	44	39	1	●	●

117 解答

3	4	5	2	1	6	8	9	7
2	7	6	3	8	9	1	4	5
9	1	8	5	7	4	3	6	2
8	9	4	6	2	3	5	7	1
6	5	3	1	9	7	2	8	4
7	2	1	8	4	5	9	3	6
4	3	7	9	5	1	6	2	8
5	8	9	4	6	2	7	1	3
1	6	2	7	3	8	4	5	9

QUESTION
120

LEVEL 👑👑👑👑 TIME 分

CHECK 1 2 3 4 5 6 7 8 9

5							1	
	9				1			4
		7	6	5		2		
		9		3			4	
		1	4		9	7		
	3			2		8		
		5		1	4	3		
3			2				5	
	1							2

120 ヒント

●	13	10	8	5	2	15	●	12
14	●	9	39	41	●	7	48	●
1	6	●	●	●	42	●	40	49
25	27	●	46	●	45	18	●	35
17	11	●	●	16	●	●	3	4
28	●	29	19	●	36	●	53	52
23	24	●	43	●	●	●	51	50
●	22	31	●	33	21	32	●	20
30	●	26	37	44	38	34	47	●

118 解答

2	3	1	6	7	5	4	8	9
8	7	4	9	1	2	6	3	5
9	6	5	4	3	8	1	2	7
6	2	3	1	4	9	7	5	8
5	1	8	7	2	6	9	4	3
7	4	9	5	8	3	2	1	6
4	8	6	3	9	1	5	7	2
3	9	7	2	5	4	8	6	1
1	5	2	8	6	7	3	9	4

QUESTION
121

LEVEL ♛♛♛♛♛ TIME 分

CHECK 1 2 3 4 5 6 7 8 9

					2		6	
	3					7	9	8
			7	9			2	
		6		4				1
		3	1		8	2		
2				3		5		
	8			2	1			
4	9	1					3	
	2		4					

121 ヒント

49	42	53	19	44	●	46	●	21
47	●	2	33	43	7	●	●	●
52	9	48	●	●	20	45	●	26
36	41	●	3	●	32	5	51	●
40	38	●	●	31	●	●	50	35
●	1	37	30	●	14	●	39	34
25	●	10	22	●	●	29	8	13
●	●	●	17	15	16	28	●	4
24	●	12	●	18	23	27	6	11

119 解答

8	2	6	7	9	1	4	3	5
1	4	7	3	5	2	9	6	8
9	5	3	4	6	8	2	7	1
4	8	1	5	2	3	7	9	6
6	7	5	8	4	9	3	1	2
3	9	2	1	7	6	8	5	4
2	6	8	9	1	7	5	4	3
5	1	9	2	3	4	6	8	7
7	3	4	6	8	5	1	2	9

QUESTION

122

LEVEL ♛♛♛♛♕ TIME 分

CHECK 1 2 3 4 5 6 7 8 9

4								5
		7		4		1	9	
	3		2				7	
		5		9	8			
	2		1		4		6	
			3	2		4		
	1				7		8	
	6	8		3		2		
3								1

122 ヒント

●	48	49	12	20	46	31	27	●
28	18	●	22	●	33	●	●	26
45	●	21	●	19	47	32	●	4
7	5	●	10	●	●	13	34	29
50	●	3	●	11	●	8	●	53
16	51	17	●	●	9	●	6	52
43	●	30	38	24	●	40	●	35
44	●	●	41	●	1	●	37	14
●	15	36	42	23	2	25	39	●

120 解答

5	8	3	9	4	2	6	1	7
6	9	2	3	7	1	5	8	4
1	4	7	6	5	8	2	3	9
2	6	9	8	3	7	1	4	5
8	5	1	4	6	9	7	2	3
7	3	4	1	2	5	8	9	6
9	2	5	7	1	4	3	6	8
3	7	8	2	9	6	4	5	1
4	1	6	5	8	3	9	7	2

QUESTION

123

LEVEL ♛♛♛♛♛ TIME 分

CHECK 1 2 3 4 5 6 7 8 9

						2		
	1		9	7			6	
		4			2			1
	8		1		4	9		
	5						3	
		1	3		8		5	
9			6			5		
	2			4	5		7	
		6						

123 ヒント

30	21	27	2	45	46	●	55	22
35	●	36	●	●	18	24	●	23
29	28	●	4	31	●	20	54	●
12	●	15	●	3	●	●	16	14
8	●	38	34	39	33	1	●	7
37	32	●	●	40	●	26	●	25
●	50	13	●	44	52	●	48	42
6	●	11	17	●	●	10	●	9
5	51	●	41	47	53	19	49	43

121 解答

7	5	9	8	1	2	4	6	3
1	3	2	6	5	4	7	9	8
8	6	4	7	9	3	1	2	5
9	7	6	2	4	5	3	8	1
5	4	3	1	6	8	2	7	9
2	1	8	9	3	7	5	4	6
6	8	7	3	2	1	9	5	4
4	9	1	5	7	6	8	3	2
3	2	5	4	8	9	6	1	7

QUESTION

124

LEVEL ♛♛♛♛♕ TIME 分

CHECK 1 2 3 4 5 6 7 8 9

				1				
			2		4	1		
		5				8	6	
	3		6		2		7	
5				7				4
	9		4		1		8	
	1	8				7		
		6	5		7			
				8				

124 ヒント

24	12	25	30	●	20	49	50	51
47	10	46	●	23	●	●	21	14
1	11	●	13	42	43	●	●	19
8	●	9	●	38	●	35	●	6
●	15	7	37	●	31	55	56	●
26	●	27	●	36	●	34	●	39
29	●	●	41	17	32	●	48	22
44	16	●	●	18	●	54	5	4
28	3	45	2	●	40	52	53	33

122 解答

4	8	9	7	1	6	3	2	5
2	5	7	8	4	3	1	9	6
6	3	1	2	5	9	8	7	4
1	4	5	6	9	8	7	3	2
8	2	3	1	7	4	5	6	9
7	9	6	3	2	5	4	1	8
5	1	2	4	6	7	9	8	3
9	6	8	5	3	1	2	4	7
3	7	4	9	8	2	6	5	1

QUESTION

125

LEVEL ♛♛♛♛♛ TIME 分

CHECK 1 2 3 4 5 6 7 8 9

7		2						3
		3	1		2			
8	1							
	6		9		4		2	
				1				
	9		3		5		4	
							1	2
			7		6	9		
3						5		8

125 ヒント

●	10	●	31	28	33	1	36	●
34	9	●	●	20	●	8	23	43
●	●	35	32	16	17	3	42	41
49	●	51	●	22	●	5	●	44
11	4	46	13	●	21	55	56	40
12	●	52	●	14	●	50	●	45
54	53	19	27	18	29	38	●	●
47	24	48	●	26	●	●	6	7
●	25	37	15	30	2	●	39	●

123 解答

6	3	5	4	8	1	2	9	7
8	1	2	9	7	3	4	6	5
7	9	4	5	6	2	3	8	1
3	8	7	1	5	4	9	2	6
4	5	9	7	2	6	1	3	8
2	6	1	3	9	8	7	5	4
9	4	8	6	3	7	5	1	2
1	2	3	8	4	5	6	7	9
5	7	6	2	1	9	8	4	3

QUESTION

126

LEVEL ♛♛♛♛♕ TIME 分

CHECK 1 2 3 4 5 6 7 8 9

3							9	6
				6	5			8
			4			1		
		5			9		2	
	7			2			1	
	6		3			5		
		6			3			
4			7	1				
5	8							3

126 ヒント

●	11	51	20	50	48	42	●	●
40	39	52	8	●	●	43	12	●
6	54	53	●	3	49	●	31	32
55	41	●	18	35	●	15	●	30
56	●	14	4	●	36	17	●	28
38	●	37	●	34	19	●	24	29
7	46	●	25	5	●	45	13	1
●	16	47	●	●	21	27	33	44
●	●	2	26	9	10	23	22	●

124 解答

6	7	2	8	1	5	3	4	9
9	8	3	2	6	4	1	5	7
1	4	5	7	3	9	8	6	2
8	3	4	6	9	2	5	7	1
5	6	1	3	7	8	2	9	4
2	9	7	4	5	1	6	8	3
4	1	8	9	2	6	7	3	5
3	2	6	5	4	7	9	1	8
7	5	9	1	8	3	4	2	6

QUESTION

127

LEVEL TIME 分

CHECK 1 2 3 4 5 6 7 8 9

								5
	4			9				
		1	3		7	6		
		2		8		3		
	9		5	1	2		4	
		5		6		1		
		6	4		1	5		
				2			1	
3								

127 ヒント

26	8	36	2	22	28	47	46	●
24	●	37	5	●	27	51	9	1
35	38	●	●	21	●	●	52	23
4	15	●	43	●	13	●	14	54
42	●	7	●	●	●	45	●	16
12	41	●	44	●	6	●	49	53
33	34	●	●	10	●	●	55	50
39	25	40	18	●	30	31	●	11
●	3	32	29	19	20	56	17	48

125 解答

7	4	2	8	5	9	1	6	3
6	5	3	1	7	2	4	8	9
8	1	9	6	4	3	2	5	7
1	6	7	9	8	4	3	2	5
4	3	5	2	1	7	8	9	6
2	9	8	3	6	5	7	4	1
9	7	4	5	3	8	6	1	2
5	8	1	7	2	6	9	3	4
3	2	6	4	9	1	5	7	8

QUESTION
128

LEVEL ♛♛♛♛♛ TIME 分

CHECK 1 2 3 4 5 6 7 8 9

	1			2				
5	2	6					1	
	8	7				3		
			9		1			
1				8				9
			6		4			
		8				6	2	
	9					7	5	8
				1			9	

128 ヒント

36	●	30	53	●	16	56	14	10
●	●	●	48	49	54	55	●	13
37	●	●	1	35	20	●	15	5
21	22	44	●	39	●	8	42	11
●	12	43	34	●	38	9	41	●
29	31	45	●	40	●	4	24	19
23	25	●	46	52	47	●	●	3
26	●	2	32	17	33	●	●	●
18	28	27	50	●	51	7	●	6

126 解答

3	5	2	1	8	7	4	9	6
1	4	7	9	6	5	2	3	8
6	9	8	4	3	2	1	7	5
8	1	5	6	4	9	3	2	7
9	7	3	5	2	8	6	1	4
2	6	4	3	7	1	5	8	9
7	2	6	8	5	3	9	4	1
4	3	9	7	1	6	8	5	2
5	8	1	2	9	4	7	6	3

QUESTION

129

LEVEL ♛♛♛♛ TIME 分

CHECK 1 2 3 4 5 6 7 8 9

						6		
	9			1		4	3	
					6	1	7	2
			8			2		
	3			6			1	
		1			5			
9	8	7	2					
	2	4		7			5	
		6						

129 ヒント

17	7	42	51	50	49	●	32	31
3	●	29	38	●	23	●	●	30
43	20	41	44	46	●	●	●	●
40	24	39	●	28	1	●	36	26
54	●	45	56	●	52	19	●	21
53	25	●	22	55	●	37	35	27
●	●	●	●	11	14	16	12	8
6	●	●	4	●	15	33	●	34
9	10	●	5	48	47	18	2	13

127 解答

6	3	9	1	4	8	2	7	5
5	4	7	2	9	6	8	3	1
2	8	1	3	5	7	6	9	4
1	6	2	7	8	4	3	5	9
8	9	3	5	1	2	7	4	6
4	7	5	9	6	3	1	2	8
9	2	6	4	3	1	5	8	7
7	5	8	6	2	9	4	1	3
3	1	4	8	7	5	9	6	2

QUESTION

130

LEVEL ♛♛♛♛♕ TIME 分

CHECK 1 2 3 4 5 6 7 8 9

		9						
			2		3	6		
3				6	9		2	
	5					2	1	
		1		5		9		
	8	7					3	
	7		4	2				8
		2	5		1			
						1		

130 ヒント

17	16	●	45	36	3	48	47	43
8	26	24	●	29	●	●	12	6
●	27	13	46	●	●	37	●	44
32	●	18	56	54	55	●	●	22
31	15	●	35	●	34	●	4	19
30	●	●	20	21	33	23	●	11
1	●	14	●	●	7	10	5	●
25	49	●	●	53	●	41	39	40
9	50	28	52	51	38	●	42	2

128 解答

4	1	3	8	2	6	9	7	5
5	2	6	3	7	9	8	1	4
9	8	7	1	4	5	3	6	2
8	7	5	9	3	1	2	4	6
1	6	4	2	8	7	5	3	9
2	3	9	6	5	4	1	8	7
7	4	8	5	9	3	6	2	1
3	9	1	4	6	2	7	5	8
6	5	2	7	1	8	4	9	3

QUESTION

131

LEVEL  TIME　分

CHECK 1 2 3 4 5 6 7 8 9

			3					9
	1		2		3			
	4	6					1	
2				4				
	8		2		9		5	
				6				8
	1					5	4	
		2		1		8		
7					5			

131 ヒント

34	2	25	●	22	1	5	7	●
54	55	●	43	●	42	●	8	11
4	●	●	56	57	10	13	●	12
●	23	35	21	●	9	30	20	17
19	●	29	●	27	●	24	●	6
38	26	37	18	●	28	31	14	●
53	●	40	33	46	3	●	●	49
51	52	●	47	●	44	●	32	48
●	50	39	41	45	●	16	36	15

129 解答

7	1	3	4	2	8	6	9	5
6	9	2	5	1	7	4	3	8
8	4	5	3	9	6	1	7	2
5	7	9	8	3	1	2	4	6
4	3	8	9	6	2	5	1	7
2	6	1	7	4	5	9	8	3
9	8	7	2	5	4	3	6	1
1	2	4	6	7	3	8	5	9
3	5	6	1	8	9	7	2	4

QUESTION
132

LEVEL ♛♛♛♛♛ TIME 分

CHECK 1 2 3 4 5 6 7 8 9

		4						
	7		3		4		1	
5		8				3		
	6			4	5		9	
			6		2			
	1		8	3			2	
		5				1		9
	4		2		6		7	
						4		

132 ヒント

1	3	●	37	35	13	39	9	33
47	●	46	●	10	●	38	●	14
●	40	●	21	36	32	●	24	34
49	●	48	26	●	●	28	●	18
30	5	31	●	19	●	27	16	17
8	●	29	●	●	25	6	●	7
45	41	●	4	53	23	●	43	●
52	●	22	●	54	●	12	●	15
51	42	50	11	55	20	●	44	2

130 解答

6	2	9	1	7	5	8	4	3
7	1	8	2	4	3	6	5	9
3	4	5	8	6	9	7	2	1
4	5	6	9	3	8	2	1	7
2	3	1	7	5	4	9	8	6
9	8	7	6	1	2	4	3	5
1	7	3	4	2	6	5	9	8
8	6	2	5	9	1	3	7	4
5	9	4	3	8	7	1	6	2

QUESTION

133

LEVEL ♛♛♛♛♕ TIME 分

CHECK 1 2 3 4 5 6 7 8 9

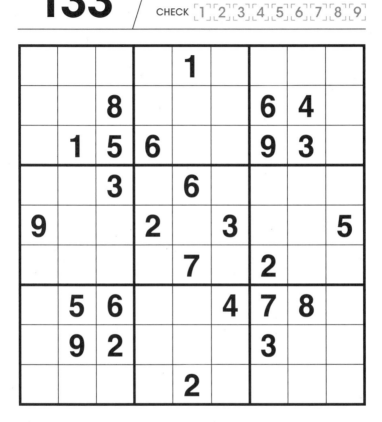

				1				
		8				6	4	
	1	5	6			9	3	
		3		6				
9			2		3			5
				7		2		
	5	6			4	7	8	
	9	2				3		
				2				

133 ヒント

20	16	6	23	●	36	5	3	40
50	49	●	37	38	33	●	●	1
39	●	●	●	17	34	●	●	41
48	47	●	31	●	29	22	53	14
●	45	19	●	32	●	21	52	●
35	44	28	18	●	30	●	46	4
27	●	●	25	24	●	●	●	2
15	●	●	43	7	42	●	13	11
55	51	54	26	●	10	12	8	9

131 解答

8	2	7	3	5	1	4	6	9
5	9	1	4	2	6	3	8	7
3	4	6	8	9	7	2	1	5
2	6	9	5	4	8	7	3	1
1	8	3	2	7	9	6	5	4
4	7	5	1	6	3	9	2	8
9	1	8	7	3	2	5	4	6
6	5	2	9	1	4	8	7	3
7	3	4	6	8	5	1	9	2

QUESTION

134

LEVEL ♛♛♛♛♕ TIME 分

CHECK 1 2 3 4 5 6 7 8 9

				9		2		
	1							
		2	6		5	4		1
		5			4	8		
7				2				4
		6	8			1		
6		4	2		3	7		
							5	
		8		7				

134 ヒント

9	4	34	18	●	17	●	30	11
10	●	31	19	8	1	33	22	28
16	35	●	●	20	●	●	32	●
40	38	●	52	43	●	●	53	27
●	5	41	46	●	51	12	54	●
42	6	●	●	13	21	●	39	29
●	15	●	●	26	●	●	3	23
37	36	48	7	55	45	49	●	24
44	47	●	14	●	56	50	2	25

132 解答

1	3	4	9	6	8	2	5	7
2	7	6	3	5	4	9	1	8
5	9	8	1	2	7	3	4	6
3	6	2	7	4	5	8	9	1
8	5	9	6	1	2	7	3	4
4	1	7	8	3	9	6	2	5
6	2	5	4	7	3	1	8	9
9	4	1	2	8	6	5	7	3
7	8	3	5	9	1	4	6	2

QUESTION

135

LEVEL TIME 分

CHECK 1 2 3 4 5 6 7 8 9

				3				
	3	5	6			4	9	
	4					6	1	
	5			7				
2			8		9			1
				2			3	
	1	2					8	
	7	4			8	5	2	
				4				

135 ヒント

35	2	25	53	●	44	16	11	15
54	●	●	●	34	28	●	●	4
55	●	51	46	52	42	●	●	3
45	●	50	37	●	33	5	19	18
●	13	8	●	12	●	14	9	●
49	26	36	38	●	21	20	●	10
48	●	●	29	30	41	6	●	7
43	●	●	32	31	●	●	●	23
47	22	27	40	●	39	1	17	24

133 解答

6	4	9	3	1	8	5	2	7
3	2	8	7	9	5	6	4	1
7	1	5	6	4	2	9	3	8
2	7	3	5	6	1	8	9	4
9	6	4	2	8	3	1	7	5
5	8	1	4	7	9	2	6	3
1	5	6	9	3	4	7	8	2
4	9	2	8	5	7	3	1	6
8	3	7	1	2	6	4	5	9

QUESTION
136

LEVEL ♛♛♛♛♛ TIME 分

CHECK 1 2 3 4 5 6 7 8 9

			4	3				
		4	8		6			
	7	5		2				
5	1						2	
2		6				7		9
	3						8	5
				5		2	1	
			3		4	5		
				1	2			

136 ヒント

46	41	34	●	●	3	51	29	36
37	47	●	●	11	●	39	4	35
38	●	●	7	●	12	48	50	49
●	●	15	22	20	8	55	●	54
●	16	●	5	21	6	●	9	●
17	●	18	2	23	14	1	●	●
25	19	26	42	●	13	●	●	45
30	32	31	●	24	●	●	44	28
33	10	27	43	●	●	52	53	40

134 解答

4	6	7	1	9	8	2	3	5
5	1	3	7	4	2	9	8	6
8	9	2	6	3	5	4	7	1
3	2	5	9	1	4	8	6	7
7	8	1	3	2	6	5	9	4
9	4	6	8	5	7	1	2	3
6	5	4	2	8	3	7	1	9
2	7	9	4	6	1	3	5	8
1	3	8	5	7	9	6	4	2

QUESTION

137

LEVEL ♛♛♛♛♛ TIME 分

CHECK 1 2 3 4 5 6 7 8 9

8								4
			2		6		7	
		5	7	9				
	1	4					9	
		9		6		5		
	2					6	1	
				1	2	7		
	5		9		7			
1								3

137 ヒント

●	20	35	48	47	46	22	38	●
21	33	15	●	25	●	23	●	16
36	37	●	●	●	24	29	39	34
5	●	●	30	1	31	4	●	8
11	10	●	45	●	44	●	2	3
6	●	12	14	7	13	●	●	9
41	51	52	43	●	●	●	50	17
42	●	40	●	54	●	27	55	28
●	18	19	53	49	26	32	56	●

135 解答

1	2	6	9	3	4	8	5	7
8	3	5	6	1	7	4	9	2
9	4	7	5	8	2	6	1	3
4	5	9	3	7	1	2	6	8
2	6	3	8	5	9	7	4	1
7	8	1	4	2	6	9	3	5
6	1	2	7	9	5	3	8	4
3	7	4	1	6	8	5	2	9
5	9	8	2	4	3	1	7	6

QUESTION

138

LEVEL ♛♛♛♛♛ TIME 分

CHECK 1 2 3 4 5 6 7 8 9

	3			1			8	
1						7		9
		5			3		2	
					7	8		
2				5				4
		6	1					
	1		2			9		
8		2						1
	7			6			5	

138 ヒント

10	●	52	46	●	4	6	●	7
●	3	51	19	41	18	●	5	●
45	40	●	53	54	●	1	●	8
39	13	43	17	31	●	●	48	33
●	55	42	25	●	38	16	44	●
34	56	●	●	30	37	9	47	32
12	●	29	●	26	27	●	14	21
●	11	●	50	49	20	24	15	●
36	●	35	28	●	2	23	●	22

136 解答

8	6	2	4	3	5	9	7	1
1	9	4	8	7	6	3	5	2
3	7	5	1	2	9	8	4	6
5	1	7	9	8	3	6	2	4
2	8	6	5	4	1	7	3	9
4	3	9	2	6	7	1	8	5
9	4	3	6	5	8	2	1	7
7	2	1	3	9	4	5	6	8
6	5	8	7	1	2	4	9	3

QUESTION

139

LEVEL ♛♛♛♛♛ TIME 分

CHECK 1 2 3 4 5 6 7 8 9

	7							1
8		9		2		5		
	6				3		2	
					7	4		
	1			8			3	
		7	1					
	9		6				5	
		8		9		2		3
2							4	

139 ヒント

13	●	2	42	43	49	4	41	●
●	5	●	15	●	6	●	31	11
14	●	8	50	30	●	40	●	12
54	33	26	45	51	●	●	1	48
55	●	20	44	●	53	35	●	46
56	34	●	●	52	25	36	39	47
16	●	17	●	21	3	23	●	32
7	18	●	27	●	28	●	10	●
●	19	9	24	22	29	38	●	37

137 解答

8	7	6	5	3	1	9	2	4
9	3	1	2	4	6	8	7	5
2	4	5	7	9	8	1	3	6
6	1	4	8	2	5	3	9	7
7	8	9	1	6	3	5	4	2
5	2	3	4	7	9	6	1	8
4	6	8	3	1	2	7	5	9
3	5	2	9	8	7	4	6	1
1	9	7	6	5	4	2	8	3

QUESTION

140

LEVEL ♛♛♛♛♕ TIME 分

CHECK 1 2 3 4 5 6 7 8 9

			9		1			
	3						9	
		7		2	3	4		
7						8		2
		8		1		5		
9		3						4
		1	5	8		3		
	4						6	
			2		4			

140 ヒント

56	29	46	●	53	●	21	4	5
55	●	20	54	52	32	17	●	34
18	6	●	35	●	●	●	28	33
●	38	41	47	16	36	●	50	●
42	43	●	48	●	40	●	51	7
●	37	●	31	49	30	8	39	●
44	45	●	●	●	11	●	2	22
24	●	10	1	13	14	3	●	26
15	23	25	●	12	●	9	27	19

138 解答

6	3	9	7	1	2	4	8	5
1	2	8	5	4	6	7	3	9
7	4	5	8	9	3	1	2	6
4	5	1	6	2	7	8	9	3
2	8	7	3	5	9	6	1	4
3	9	6	1	8	4	5	7	2
5	1	4	2	3	8	9	6	7
8	6	2	9	7	5	3	4	1
9	7	3	4	6	1	2	5	8

QUESTION

141

LEVEL ♛♛♛♛♕ TIME 分

CHECK 1 2 3 4 5 6 7 8 9

				6		9		
	2		1				4	
			8		2	7		1
	9	4				3		
1								4
		6				8	2	
4		9	2		3			
	8				9		5	
		3		4				

141 ヒント

27	26	28	29	●	30	●	15	2
11	●	16	●	13	21	38	●	39
10	7	8	●	12	●	●	14	●
17	●	●	51	19	44	●	1	37
●	49	18	53	34	52	43	46	●
36	48	●	50	23	22	●	●	47
●	35	●	●	31	●	6	42	45
20	●	25	9	33	●	4	●	3
41	40	●	32	●	24	5	55	54

139 解答

4	7	2	8	5	6	3	9	1
8	3	9	4	2	1	5	7	6
5	6	1	9	7	3	8	2	4
3	8	5	2	6	7	4	1	9
6	1	4	5	8	9	7	3	2
9	2	7	1	3	4	6	8	5
7	9	3	6	4	2	1	5	8
1	4	8	7	9	5	2	6	3
2	5	6	3	1	8	9	4	7

QUESTION

142

LEVEL ♛♛♛♛♛ TIME 分

CHECK 1 2 3 4 5 6 7 8 9

3					9			1
		7			6	2		
	1			2			3	
					4		9	3
		8				1		
4	7		3					
	2			8			5	
		5	9			6		
1			4					7

142 ヒント

●	54	2	42	7	●	30	28	●
39	55	●	4	3	●	●	25	41
29	●	17	43	●	35	24	●	40
34	38	46	32	49	●	45	●	●
48	6	●	33	50	37	●	31	26
●	●	47	●	51	36	44	15	27
14	●	20	12	●	5	18	●	22
23	16	●	●	13	8	●	1	10
●	52	53	●	11	9	19	21	●

140 解答

6	8	4	9	5	1	7	2	3
5	3	2	7	4	8	1	9	6
1	9	7	6	2	3	4	5	8
7	1	6	4	9	5	8	3	2
4	2	8	3	1	6	5	7	9
9	5	3	8	7	2	6	1	4
2	6	1	5	8	9	3	4	7
8	4	9	1	3	7	2	6	5
3	7	5	2	6	4	9	8	1

QUESTION

143

LEVEL ♛♛♛♛♕ TIME 分

CHECK 1 2 3 4 5 6 7 8 9

5				1				
			2		3	4	6	
		1					3	
	7		5		4		9	
2								4
	5		7		9		2	
	4					3		
	1	3	8		5			
				9				6

143 ヒント

●	3	29	22	●	34	47	19	46
55	54	49	●	8	●	●	●	1
21	33	●	23	45	44	26	●	30
39	●	50	●	2	●	37	●	41
●	51	43	15	7	36	11	12	●
40	●	20	●	35	●	38	●	42
52	●	53	18	17	16	●	13	25
9	●	●	●	5	●	31	10	32
48	28	27	4	●	14	24	6	●

141 解答

3	1	7	4	6	5	9	8	2
9	2	8	1	3	7	5	4	6
6	4	5	8	9	2	7	3	1
8	9	4	7	2	6	3	1	5
1	3	2	9	5	8	6	7	4
5	7	6	3	1	4	8	2	9
4	5	9	2	8	3	1	6	7
2	8	1	6	7	9	4	5	3
7	6	3	5	4	1	2	9	8

QUESTION

144

LEVEL ♛♛♛♛♛ TIME 分

CHECK 1 2 3 4 5 6 7 8 9

				5			7	
	2				3			6
		4	6		7	9		
		1				3	4	
6				1				2
	9	2				6		
		9	7		5	2		
4			1				5	
	7			4				

144 ヒント

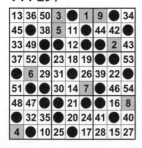

13	36	50	3	●	1	9	●	34
45	●	38	5	11	●	44	42	●
33	49	●	●	12	●	●	2	43
37	52	●	23	18	19	●	●	53
●	6	29	31	●	26	39	22	●
51	●	●	30	14	7	●	46	54
48	47	●	●	21	●	●	16	8
●	32	35	●	20	24	41	●	40
4	●	10	25	●	17	28	15	27

142 解答

3	8	2	5	4	9	7	6	1
5	9	7	1	3	6	2	4	8
6	1	4	8	2	7	9	3	5
2	5	6	7	1	4	8	9	3
9	3	8	2	6	5	1	7	4
4	7	1	3	9	8	5	2	6
7	2	3	6	8	1	4	5	9
8	4	5	9	7	3	6	1	2
1	6	9	4	5	2	3	8	7

QUESTION

145

LEVEL ♛♛♛♛♛ TIME 分

CHECK 1 2 3 4 5 6 7 8 9

	2						1	
3			1		9			8
		4		5		3		
	7		5				9	
		8		9		5		
	3				8		2	
		2		1		6		
1			4		3			2
	9						7	

145 ヒント

37	●	38	12	16	25	29	●	28
●	30	19	●	24	●	2	26	●
17	1	●	48	●	49	●	7	18
43	●	8	●	11	46	4	●	41
44	39	●	47	●	9	●	10	42
45	●	34	40	27	●	53	●	54
20	33	●	5	●	23	●	52	13
●	35	36	●	21	●	6	31	●
32	●	3	15	14	22	50	●	51

143 解答

5	3	2	4	1	6	9	8	7
9	8	7	2	5	3	4	6	1
4	6	1	9	8	7	5	3	2
1	7	8	5	2	4	6	9	3
2	9	6	1	3	8	7	5	4
3	5	4	7	6	9	1	2	8
8	4	9	6	7	2	3	1	5
6	1	3	8	4	5	2	7	9
7	2	5	3	9	1	8	4	6

QUESTION

146

LEVEL ♛♛♛♛♛ TIME 分

CHECK 1 2 3 4 5 6 7 8 9

		4		9		1		
	7						2	
2		5			3			8
			3		1	2		
4				5				6
		3	2		4			
7			4			5		1
	1						3	
		9		8		7		

146 ヒント

33	9	●	32	●	2	●	49	48
42	●	39	13	16	31	50	●	10
●	43	●	20	15	●	34	21	●
46	44	35	●	41	●	●	47	22
●	18	37	54	●	53	3	40	●
38	45	●	●	36	●	26	52	51
●	28	19	●	4	30	●	24	●
11	●	27	29	5	17	23	●	25
8	7	●	1	●	12	●	14	6

144 解答

9	6	8	2	5	1	4	7	3
1	2	7	4	9	3	5	8	6
3	5	4	6	8	7	9	2	1
7	8	1	9	6	2	3	4	5
6	4	3	5	1	8	7	9	2
5	9	2	3	7	4	6	1	8
8	1	9	7	3	5	2	6	4
4	3	6	1	2	9	8	5	7
2	7	5	8	4	6	1	3	9

QUESTION

147

LEVEL　TIME　　分

CHECK 1 2 3 4 5 6 7 8 9

	2			6			4	
3				9				7
					1	8		
			5		9	1		
1	6			2			3	9
		4	3		6			
		7	1					
6				4				5
	9			8			1	

147 ヒント

54	●	17	51	●	50	26	●	1
●	43	44	35	●	52	20	32	●
53	42	21	47	25	●	●	16	31
37	40	39	●	8	●	●	7	6
●	●	10	49	●	48	11	●	●
4	9	●	●	2	●	30	29	23
41	38	●	●	24	33	18	22	19
●	45	46	5	●	34	28	12	●
14	●	36	3	●	13	15	●	27

145 解答

6	2	9	3	8	4	7	1	5
3	5	7	1	6	9	2	4	8
8	1	4	2	5	7	3	6	9
4	7	1	5	3	2	8	9	6
2	6	8	7	9	1	5	3	4
9	3	5	6	4	8	1	2	7
7	4	2	9	1	5	6	8	3
1	8	6	4	7	3	9	5	2
5	9	3	8	2	6	4	7	1

QUESTION

148

LEVEL ♛♛♛♛♛ TIME 分

CHECK 1 2 3 4 5 6 7 8 9

	4	3				7	2	
	1			9	4		8	
				7	5	1		
		6	9	1	8	4		
		5	6	4				
	9		2	8			5	
	3	7				2	4	

148 ヒント

49	20	35	47	4	5	22	25	8
45	●	●	36	46	37	●	●	24
48	●	17	44	●	●	42	●	41
33	21	34	3	●	●	●	13	11
6	12	●	●	●	●	●	15	10
1	14	●	●	●	2	26	16	27
30	●	31	●	●	53	40	●	39
29	●	●	38	43	54	●	●	51
18	19	32	9	7	52	28	23	50

146 解答

6	3	4	8	9	2	1	7	5
8	7	1	5	4	6	9	2	3
2	9	5	7	1	3	6	4	8
9	8	6	3	7	1	2	5	4
4	2	7	9	5	8	3	1	6
1	5	3	2	6	4	8	9	7
7	6	2	4	3	9	5	8	1
5	1	8	6	2	7	4	3	9
3	4	9	1	8	5	7	6	2

QUESTION

149

LEVEL ♛♛♛♛♛ TIME 分

CHECK 1 2 3 4 5 6 7 8 9

								1
	6			4	1		2	
		3	2	5		4		
		7					4	
	3	2		6		5	1	
	8					2		
		5		9	4	3		
	4		7	8			9	
1								

149 ヒント

27	28	20	41	22	40	24	13	●
49	●	35	14	●	●	48	●	12
50	1	●	●	●	25	●	47	36
23	26	●	39	4	6	37	●	17
33	●	●	31	●	51	●	●	38
32	●	2	30	16	52	●	45	46
29	53	●	3	●	●	●	42	43
8	●	21	●	●	18	5	●	10
●	54	34	19	7	15	44	11	9

147 解答

8	2	9	7	6	5	3	4	1
3	4	1	2	9	8	6	5	7
7	5	6	4	3	1	8	9	2
2	8	3	5	7	9	1	6	4
1	6	5	8	2	4	7	3	9
9	7	4	3	1	6	5	2	8
4	3	7	1	5	2	9	8	6
6	1	8	9	4	3	2	7	5
5	9	2	6	8	7	4	1	3

QUESTION

150

LEVEL ♛♛♛♛♛ TIME 分

CHECK 1 2 3 4 5 6 7 8 9

				1				
		7	9		8	3		
	3				2	5	4	
	1					4	2	
3				2				1
	8	5					6	
	5	8	6				3	
		2	3		9	1		
				4				

150 ヒント

8	30	34	6	●	4	44	43	32
33	31	●	●	7	●	●	1	36
16	●	13	15	14	●	●	●	21
41	●	29	50	23	42	●	●	48
●	40	19	49	●	45	52	51	●
2	●	●	11	24	20	25	●	22
26	●	●	●	18	10	28	●	27
38	35	●	●	17	●	●	47	46
12	39	5	3	●	9	37	54	53

148 解答

9	6	8	7	2	3	5	1	4
5	4	3	8	6	1	7	2	9
7	1	2	5	9	4	6	8	3
4	8	9	3	7	5	1	6	2
3	2	6	9	1	8	4	7	5
1	7	5	6	4	2	9	3	8
6	9	4	2	8	7	3	5	1
8	3	7	1	5	9	2	4	6
2	5	1	4	3	6	8	9	7

QUESTION

151

LEVEL ♛♛♛♛♛ TIME 分

CHECK 1 2 3 4 5 6 7 8 9

			7		1			
		2		8				
	3		9	2		8		
2		3						7
	8	9		4		6	5	
7						1		2
		8		5	4		3	
				3		9		
			6		9			

151 ヒント

17	34	38	●	9	●	5	6	46
39	32	●	3	●	4	54	53	35
37	●	31	●	●	8	●	41	40
●	26	●	10	13	24	23	21	●
14	●	●	12	●	11	●	●	1
●	43	44	7	20	25	●	22	●
29	52	●	19	●	●	48	●	28
45	51	30	18	●	15	●	49	42
2	50	33	●	16	●	47	36	27

149 解答

5	2	4	9	7	8	6	3	1
7	6	9	3	4	1	8	2	5
8	1	3	2	5	6	4	7	9
6	5	7	8	1	2	9	4	3
9	3	2	4	6	7	5	1	8
4	8	1	5	3	9	2	6	7
2	7	5	1	9	4	3	8	6
3	4	6	7	8	5	1	9	2
1	9	8	6	2	3	7	5	4

QUESTION

152

LEVEL ♛♛♛♛♛ TIME 分

CHECK 1 2 3 4 5 6 7 8 9

1			2		6			3
		4						
	5			9		2		
8			7		9			1
		9		4		6		
5			3		2			4
		1		7			3	
						1		
7			5		3			6

152 ヒント

●	31	30	●	15	●	50	41	●
37	36	●	19	3	18	48	10	49
9	●	7	13	●	12	●	11	14
●	5	26	●	22	●	4	20	●
25	24	●	17	●	16	●	32	33
●	8	23	●	21	●	53	54	●
35	28	●	45	●	39	46	●	47
38	27	6	29	2	44	●	51	52
●	43	42	●	1	●	40	34	●

150 解答

5	9	6	4	1	3	8	7	2
4	2	7	9	5	8	3	1	6
8	3	1	7	6	2	5	4	9
7	1	9	8	3	6	4	2	5
3	6	4	5	2	7	9	8	1
2	8	5	1	9	4	7	6	3
9	5	8	6	7	1	2	3	4
6	4	2	3	8	9	1	5	7
1	7	3	2	4	5	6	9	8

QUESTION

153

LEVEL ♛♛♛♛♛ TIME 分

CHECK 1 2 3 4 5 6 7 8 9

	4	1				2		
6				5		3		
8							1	9
			5	4				
	3		1	9	7		4	
				2	3			
5	7							4
		4		8				2
		2				1	7	

153 ヒント

46	●	●	28	47	27	●	13	14
●	21	22	8	●	1	●	16	15
●	23	45	51	52	31	7	●	●
43	44	24	●	●	26	33	3	5
4	●	35	●	●	●	38	●	19
9	37	34	25	●	●	36	39	6
●	●	40	30	2	29	18	50	●
41	42	●	17	●	11	54	53	●
32	20	●	48	49	10	●	●	12

151 解答

8	9	4	7	6	1	3	2	5
5	1	2	4	8	3	7	6	9
6	3	7	9	2	5	8	1	4
2	6	3	5	1	8	4	9	7
1	8	9	2	4	7	6	5	3
7	4	5	3	9	6	1	8	2
9	7	8	1	5	4	2	3	6
4	5	6	8	3	2	9	7	1
3	2	1	6	7	9	5	4	8

QUESTION

154

LEVEL ♛♛♛♛♛ TIME 分

CHECK 1 2 3 4 5 6 7 8 9

			3		9			
		1		4		2		
	7		2		1		8	
1		4				3		7
	3						2	
9		2				8		1
	2		1		7		5	
		3		6		9		
			4		8			

154 ヒント

2	24	42	●	10	●	36	37	30
31	48	●	9	●	7	●	19	29
20	●	49	●	6	●	38	●	27
●	45	●	50	13	12	●	44	●
46	●	34	51	1	4	18	●	43
●	16	●	17	8	3	●	5	●
47	●	52	●	23	●	26	●	21
28	41	●	11	●	14	●	35	25
33	53	32	●	22	●	39	40	15

152 解答

1	8	7	2	5	6	9	4	3
9	2	4	8	3	1	5	6	7
6	5	3	4	9	7	2	1	8
8	4	2	7	6	9	3	5	1
3	7	9	1	4	5	6	8	2
5	1	6	3	8	2	7	9	4
2	6	1	9	7	4	8	3	5
4	3	5	6	2	8	1	7	9
7	9	8	5	1	3	4	2	6

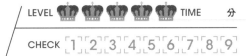

QUESTION

155

LEVEL ♛♛♛♛♛ TIME 分

CHECK 1 2 3 4 5 6 7 8 9

				6		1		
		5	3		8	2		
	9				1		8	3
	2					7	5	
7								6
	3	4					2	
5	4		7				9	
		1	5		6	4		
		2		1				

155 ヒント

37	15	38	40	●	21	●	11	33
24	7	●	●	32	●	●	10	34
36	●	35	39	28	●	20	●	●
49	●	44	46	47	43	●	●	5
●	6	26	25	30	29	4	2	●
48	●	●	45	22	23	16	●	17
●	●	50	●	42	31	9	●	1
51	12	●	●	52	●	●	14	3
41	8	●	27	●	53	18	13	19

153 解答

7	4	1	9	3	8	2	5	6
6	2	9	4	5	1	3	8	7
8	5	3	6	7	2	4	1	9
1	9	8	5	4	6	7	2	3
2	3	5	1	9	7	6	4	8
4	6	7	8	2	3	5	9	1
5	7	6	2	1	9	8	3	4
3	1	4	7	8	5	9	6	2
9	8	2	3	6	4	1	7	5

QUESTION
156

LEVEL ♛♛♛♛♛ TIME 分

CHECK 1 2 3 4 5 6 7 8 9

1								8
			5		9	4		
			2		1	7	5	
	4	6				3	2	
				9				
	7	8				6	9	
	6	1	3		8			
		9	6		5			
8								3

156 ヒント

●	52	23	21	6	12	42	7	●
39	44	33	●	35	●	●	18	41
40	51	32	●	34	●	●	●	43
4	●	●	14	11	13	●	●	17
28	1	27	16	●	2	48	49	47
20	●	●	15	9	8	●	●	19
26	●	●	●	38	●	54	36	50
30	29	●	●	25	●	53	46	45
●	22	31	5	37	10	24	3	●

154 解答

2	4	6	3	8	9	7	1	5
5	8	1	7	4	6	2	3	9
3	7	9	2	5	1	6	8	4
1	6	4	8	2	5	3	9	7
8	3	7	9	1	4	5	2	6
9	5	2	6	7	3	8	4	1
6	2	8	1	9	7	4	5	3
4	1	3	5	6	2	9	7	8
7	9	5	4	3	8	1	6	2

QUESTION

157

LEVEL ♛♛♛♛♛ TIME 分

CHECK 1 2 3 4 5 6 7 8 9

			2					
		1	4		6	9		
	3			1		4	5	
8	9						2	
		6		7		1		
	1						9	7
	8	9		5			1	
		5	6		1	7		
					4			

157 ヒント

43	15	45	●	48	4	33	29	1
28	27	●	●	35	●	●	34	17
46	●	38	12	●	47	●	●	16
●	●	5	2	9	6	18	●	25
42	23	●	49	●	50	●	8	31
40	●	41	44	10	24	30	●	●
14	●	●	21	●	11	20	●	7
37	22	●	●	51	●	●	32	54
3	13	36	52	39	●	26	19	53

155 解答

2	8	3	9	6	5	1	4	7
4	1	5	3	7	8	2	6	9
6	9	7	2	4	1	5	8	3
8	2	6	1	9	3	7	5	4
7	5	9	8	2	4	3	1	6
1	3	4	6	5	7	9	2	8
5	4	8	7	3	2	6	9	1
9	7	1	5	8	6	4	3	2
3	6	2	4	1	9	8	7	5

QUESTION

158

LEVEL ♛♛♛♛♛ TIME 分

CHECK 1 2 3 4 5 6 7 8 9

		7		5				
		5	1		4			
1	9	2				8		
	5				9		8	
3				6				2
	7		3				1	
		3				1	4	7
			4		2	9		
				1		3		

158 ヒント

41	38	●	26	●	23	28	40	1
42	39	●	●	27	●	36	46	47
●	●	●	12	13	11	●	10	9
37	●	3	29	24	●	33	●	6
●	48	45	31	●	2	21	35	●
30	●	49	●	32	20	25	●	34
53	8	●	50	52	15	●	●	●
16	4	22	●	7	●	●	19	17
54	44	43	51	●	14	●	5	18

156 解答

1	9	5	7	6	4	2	3	8
7	2	3	5	8	9	4	1	6
6	8	4	2	3	1	7	5	9
9	4	6	8	5	7	3	2	1
3	1	2	4	9	6	5	8	7
5	7	8	1	2	3	6	9	4
2	6	1	3	7	8	9	4	5
4	3	9	6	1	5	8	7	2
8	5	7	9	4	2	1	6	3

QUESTION
159

LEVEL ♛♛♛♛♛ TIME 分

CHECK 1 2 3 4 5 6 7 8 9

		9				4		
					7		5	
1			8	2				9
		6		7			1	
		1	3	6	5	2		
	7			4		5		
5				3	1			6
	9		4					
		2				8		

159 ヒント

8	35	●	32	40	4	●	12	37
48	36	47	33	41	●	39	●	38
●	42	6	●	●	3	34	26	●
46	5	●	14	●	13	45	●	43
54	53	●	●	●	●	●	44	27
16	●	22	1	●	15	●	7	25
●	49	50	31	●	●	28	18	●
19	●	24	●	9	17	11	23	10
21	2	●	29	30	20	●	52	51

157 解答

4	6	8	2	9	5	3	7	1
7	5	1	4	3	6	9	8	2
9	3	2	7	1	8	4	5	6
8	9	7	1	4	3	6	2	5
5	2	6	8	7	9	1	4	3
3	1	4	5	6	2	8	9	7
6	8	9	3	5	7	2	1	4
2	4	5	6	8	1	7	3	9
1	7	3	9	2	4	5	6	8

QUESTION

160

LEVEL ♛♛♛♛♛ TIME 分

CHECK 1 2 3 4 5 6 7 8 9

	9		3			4	6	
1	6				5			8
				8				1
6							8	
		4		7		6		
	5							3
9				1				
7			8				4	9
	1	3			6		5	

160 ヒント

18	●	15	●	13	1	●	●	16
●	●	34	33	30	●	49	50	●
27	26	35	4	●	32	17	36	●
●	14	21	20	11	42	37	●	3
52	28	●	41	●	38	●	48	19
51	●	22	40	5	39	47	43	●
●	25	8	44	●	45	53	54	6
●	12	7	●	9	10	2	●	●
24	●	●	31	46	●	29	●	23

158 解答

4	6	7	9	5	8	2	3	1
8	3	5	1	2	4	6	7	9
1	9	2	6	7	3	8	5	4
6	5	1	2	4	9	7	8	3
3	8	4	7	6	1	5	9	2
2	7	9	3	8	5	4	1	6
5	2	3	8	9	6	1	4	7
7	1	8	4	3	2	9	6	5
9	4	6	5	1	7	3	2	8

QUESTION

161

LEVEL ♛♛♛♛♛ TIME 分

CHECK 1 2 3 4 5 6 7 8 9

2								1
	3	7				6		
	5		4	7			3	
		3		6				
		5	2	3	7	9		
				1		7		
	6			9	2		4	
		2				3	1	
8								6

161 ヒント

●	28	43	34	20	35	8	6	●
9	●	●	39	2	53	●	45	46
11	●	42	●	●	54	49	●	50
7	26	●	29	●	27	1	47	48
16	12	●	●	●	●	●	14	13
18	17	25	41	●	40	●	15	3
4	●	10	38	●	●	44	●	31
5	23	●	32	21	33	●	●	30
●	19	24	36	22	37	52	51	●

159 解答

7	6	9	5	1	3	4	8	2
8	2	4	6	9	7	3	5	1
1	3	5	8	2	4	6	7	9
4	5	6	2	7	8	9	1	3
9	8	1	3	6	5	2	4	7
2	7	3	1	4	9	5	6	8
5	4	8	9	3	1	7	2	6
6	9	7	4	8	2	1	3	5
3	1	2	7	5	6	8	9	4

QUESTION
162

LEVEL ♛♛♛♛♛ TIME 分

CHECK 1 2 3 4 5 6 7 8 9

	3			1			6	
2							1	4
		5		4	7			
			5			6		
5		3		9		4		7
		6			8			
			3	8		9		
9	4							1
	2			5			7	

162 ヒント

26	●	17	42	●	32	40	●	52
●	27	20	19	29	30	33	●	●
25	28	●	43	●	●	41	51	38
47	24	2	●	31	45	●	54	53
●	18	●	12	●	13	●	15	●
46	23	●	44	22	●	1	37	36
6	5	8	●	●	11	●	4	16
●	●	10	39	49	21	35	34	●
3	●	9	48	●	50	14	●	7

160 解答

5	9	8	3	2	1	4	6	7
1	6	7	9	4	5	2	3	8
3	4	2	6	8	7	5	9	1
6	7	1	5	3	2	9	8	4
8	3	4	1	7	9	6	2	5
2	5	9	4	6	8	7	1	3
9	8	5	2	1	4	3	7	6
7	2	6	8	5	3	1	4	9
4	1	3	7	9	6	8	5	2

QUESTION

163

LEVEL ♛♛♛♛♛ TIME 分

CHECK 1 2 3 4 5 6 7 8 9

				2				
	9	8				5	3	
	6	4				2	7	
			8	5				
4			2	7	9			5
				4	3			
	1	7				4	6	
	2	5				3	9	
				1				

163 ヒント

12	16	17	25	●	26	46	45	23
2	●	●	41	9	40	●	●	10
15	●	●	29	30	28	●	●	24
21	11	8	●	●	38	44	4	3
●	18	42	●	●	●	47	50	●
19	20	43	39	●	●	54	7	53
37	●	●	35	49	31	●	●	33
14	●	●	27	13	48	●	●	1
36	5	22	34	●	32	52	6	51

161 解答

2	9	8	6	5	3	4	7	1
4	3	7	1	2	8	6	9	5
1	5	6	4	7	9	2	3	8
7	8	3	9	6	4	1	5	2
6	1	5	2	3	7	9	8	4
9	2	4	8	1	5	7	6	3
3	6	1	5	9	2	8	4	7
5	4	2	7	8	6	3	1	9
8	7	9	3	4	1	5	2	6

QUESTION
164

LEVEL 👑👑👑👑👑 TIME 分

CHECK 1 2 3 4 5 6 7 8 9

					1			
		1	7		8	4		
	4			3		5	8	
	2						6	8
		9		4		3		
5	6						9	
	1	6		8			3	
		5	3		2	9		
			9					

164 ヒント

53	30	50	2	27	●	7	11	52
31	54	●	●	28	●	●	10	51
43	●	42	26	●	8	●	●	1
48	●	47	15	9	13	21	●	●
16	40	●	39	●	32	●	20	18
●	●	49	29	38	14	17	●	3
5	●	●	12	●	6	19	●	24
41	46	●	●	34	●	●	37	23
45	25	44	●	33	35	4	36	22

162 解答

8	3	4	2	1	5	7	6	9
2	7	9	8	6	3	5	1	4
1	6	5	9	4	7	2	8	3
7	1	2	5	3	4	6	9	8
5	8	3	1	9	6	4	2	7
4	9	6	7	2	8	1	3	5
6	5	7	3	8	1	9	4	2
9	4	8	6	7	2	3	5	1
3	2	1	4	5	9	8	7	6

QUESTION

165

LEVEL ♛♛♛♛♛ TIME 分

CHECK 1 2 3 4 5 6 7 8 9

9				5				2
		6				8	7	
	3	4					1	
			3	4				
1			2	6	8			3
				9	5			
	5					7	2	
	1	2				9		
3				1				6

165 ヒント

●	18	1	50	●	51	6	23	●
13	7	●	40	12	46	●	●	22
17	●	●	19	8	24	20	●	21
45	26	36	●	●	39	42	28	34
●	33	35	●	●	●	37	25	●
44	27	4	38	●	●	41	43	32
52	●	14	47	10	11	●	●	2
49	●	●	16	9	48	●	5	30
●	53	54	15	●	3	31	29	●

163 解答

7	5	3	9	2	4	8	1	6
2	9	8	7	6	1	5	3	4
1	6	4	5	3	8	2	7	9
9	7	2	8	5	6	1	4	3
4	3	1	2	7	9	6	8	5
5	8	6	1	4	3	9	2	7
8	1	7	3	9	5	4	6	2
6	2	5	4	8	7	3	9	1
3	4	9	6	1	2	7	5	8

QUESTION

166

LEVEL ♛♛♛♛♛ TIME 分

CHECK 1 2 3 4 5 6 7 8 9

							2	
	3	4				7		5
	1			8	7		6	
			5		4	6		
		3		2		4		
		1	9		6			
	4		2	6			1	
8		6				3	7	
	5							

166 ヒント

50	54	53	22	26	28	10	●	24
21	●	●	32	31	2	●	17	●
15	●	14	23	●	●	19	●	25
52	51	46	●	33	●	●	12	48
5	8	●	35	●	36	●	18	34
4	49	●	●	13	●	41	7	47
3	●	16	●	●	39	6	●	40
●	44	●	27	29	30	●	●	42
1	●	45	38	37	20	43	11	9

164 解答

8	5	3	4	2	1	6	7	9
6	9	1	7	5	8	4	2	3
2	4	7	6	3	9	5	8	1
3	2	4	1	9	5	7	6	8
1	7	9	8	4	6	3	5	2
5	6	8	2	7	3	1	9	4
9	1	6	5	8	4	2	3	7
7	8	5	3	1	2	9	4	6
4	3	2	9	6	7	8	1	5

QUESTION

167

LEVEL TIME 分

CHECK 1 2 3 4 5 6 7 8 9

								9
	8	2		1			3	
	9	4	7		5			
		3			1	9		
	4			2			6	
		7	6			8		
			2		9	1	7	
	7			5		3	8	
1								

167 ヒント

26	13	28	37	38	2	31	20	●
21	●	●	4	●	32	51	●	52
27	●	●	●	30	●	8	7	3
15	16	●	42	53	●	●	19	45
14	●	12	44	●	54	46	●	10
23	22	●	●	5	9	●	18	11
34	29	49	●	36	●	●	●	43
33	●	17	1	●	35	●	●	25
●	24	50	39	40	41	47	6	48

165 解答

9	8	1	6	5	7	3	4	2
5	2	6	1	3	4	8	7	9
7	3	4	8	2	9	6	1	5
8	9	5	3	4	1	2	6	7
1	4	7	2	6	8	5	9	3
2	6	3	7	9	5	1	8	4
6	5	9	4	8	3	7	2	1
4	1	2	5	7	6	9	3	8
3	7	8	9	1	2	4	5	6

QUESTION
168

LEVEL ♛♛♛♛♛ TIME 分

CHECK 1 2 3 4 5 6 7 8 9

			1					
		7		4		2		
	2	9	3			6	5	
4		1			7			
	6			3			9	
			6			1		2
	8	4			9	5	7	
		2		8		9		
					5			

168 ヒント

50	5	49	●	33	7	15	39	37
40	35	●	34	●	20	●	19	38
18	●	●	●	16	21	●	●	6
●	52	●	27	23	●	29	14	13
2	●	30	32	●	1	9	●	12
51	41	36	●	31	8	●	28	●
48	●	●	22	46	●	●	●	43
25	24	●	17	●	4	●	10	26
54	53	42	11	47	●	45	3	44

166 解答

7	9	8	6	4	5	1	2	3
6	3	4	1	9	2	7	8	5
2	1	5	3	8	7	9	6	4
9	8	2	5	1	4	6	3	7
5	6	3	7	2	8	4	9	1
4	7	1	9	3	6	8	5	2
3	4	7	2	6	9	5	1	8
8	2	6	4	5	1	3	7	9
1	5	9	8	7	3	2	4	6

QUESTION
169

LEVEL ♛♛♛♛♛ TIME 分

CHECK 1 2 3 4 5 6 7 8 9

								7
	3	4			1	5	8	
	6			2			3	
			1		7		6	
		6		3		1		
	2		5		9			
	7			8			1	
	5	3	7			9	4	
1								

169 ヒント

51	3	50	39	16	38	14	46	●
52	●	●	13	6	●	●	●	45
17	●	7	19	●	20	8	●	1
27	40	18	●	9	●	47	●	48
11	41	●	21	●	22	●	29	28
26	●	2	●	5	●	42	10	33
24	●	54	36	●	37	32	●	31
49	●	●	●	4	23	●	●	43
●	25	53	35	15	34	12	44	30

167 解答

7	1	6	8	3	2	4	5	9
5	8	2	9	1	4	6	3	7
3	9	4	7	6	5	2	1	8
8	6	3	4	7	1	9	2	5
9	4	1	5	2	8	7	6	3
2	5	7	6	9	3	8	4	1
6	3	5	2	8	9	1	7	4
4	7	9	1	5	6	3	8	2
1	2	8	3	4	7	5	9	6

QUESTION

170

LEVEL ♛♛♛♛♛ TIME 分

CHECK 1 2 3 4 5 6 7 8 9

								1
		2	9		5	4		
	7			4		3	6	
	2		5				4	
		4		7		1		
	9				8		3	
	1	8		3			2	
		5	1		4	7		
3								

170 ヒント

10	29	18	44	27	45	31	32	●
21	6	●	●	19	●	●	13	14
28	●	23	33	●	20	●	●	30
38	●	7	●	22	41	51	●	52
39	40	●	46	●	47	●	36	35
37	●	17	4	34	●	49	●	48
15	●	●	42	●	43	12	●	11
2	8	●	●	24	●	●	53	3
●	9	16	25	5	26	54	1	50

168 解答

8	4	6	1	5	2	7	3	9
3	5	7	9	4	6	2	1	8
1	2	9	3	7	8	6	5	4
4	9	1	8	2	7	3	6	5
2	6	8	5	3	1	4	9	7
7	3	5	6	9	4	1	8	2
6	8	4	2	1	9	5	7	3
5	1	2	7	8	3	9	4	6
9	7	3	4	6	5	8	2	1

QUESTION

171

LEVEL ♛♛♛♛♛ TIME 分

CHECK 1 2 3 4 5 6 7 8 9

				6				
	3	6	5			7		
	7		2		9		1	
	9	5				6		
1				7				8
		2				1	7	
	2		7		4		6	
		1			2	9	3	
				5				

171 ヒント

38	1	52	49	●	4	46	40	32
39	●	●	●	20	37	●	47	44
33	●	51	●	48	●	45	●	3
5	●	●	36	2	19	●	12	13
●	35	14	54	●	27	30	29	●
26	34	●	50	53	28	●	●	31
16	●	25	●	17	●	22	●	21
9	8	●	10	11	●	●	●	7
23	24	6	18	●	15	42	43	41

169 解答

8	1	2	4	5	3	6	9	7
9	3	4	6	7	1	5	8	2
5	6	7	9	2	8	4	3	1
3	8	5	1	4	7	2	6	9
7	9	6	8	3	2	1	5	4
4	2	1	5	6	9	8	7	3
6	7	9	2	8	4	3	1	5
2	5	3	7	1	6	9	4	8
1	4	8	3	9	5	7	2	6

QUESTION

172

LEVEL 👑👑👑👑👑 TIME 分

CHECK 1 2 3 4 5 6 7 8 9

			5		3			1
				1		6		
		2				9	3	
2			9		5			6
	1			3			5	
4			1		2			7
	3	8				4		
		9		2				
7			8		4			

172 ヒント

35	28	46	●	51	●	39	40	●
7	36	47	3	●	33	●	45	50
1	48	●	20	52	34	●	●	49
●	30	18	●	32	●	16	15	●
37	●	27	19	●	31	43	●	44
●	54	53	●	26	●	17	38	●
12	●	●	13	10	24	●	42	41
11	6	●	5	●	23	21	25	14
●	4	2	●	22	●	9	29	8

170 解答

4	5	6	7	8	3	2	9	1
1	3	2	9	6	5	4	7	8
8	7	9	2	4	1	3	6	5
7	2	3	5	1	6	8	4	9
6	8	4	3	7	9	1	5	2
5	9	1	4	2	8	6	3	7
9	1	8	6	3	7	5	2	4
2	6	5	1	9	4	7	8	3
3	4	7	8	5	2	9	1	6

QUESTION

173

LEVEL ♛♛♛♛♛ TIME 分

CHECK 1 2 3 4 5 6 7 8 9

8								4
	9	5					6	
	1	3	2			7		
		1		4	6			
			1	3	8			
			7	9		5		
		8			3	4	5	
	5					1	2	
2								7

173 ヒント

●	14	13	18	48	47	19	20	●
10	●	●	45	52	51	33	●	32
11	●	●	●	15	17	●	16	5
8	28	●	3	●	●	35	12	34
6	23	9	●	●	●	39	25	40
29	22	24	●	●	2	●	30	21
1	7	●	54	4	●	●	●	37
27	●	41	43	46	44	●	●	36
●	26	42	53	50	49	31	38	●

171 解答

8	1	9	4	6	7	3	2	5
2	3	6	5	1	8	7	9	4
5	7	4	2	3	9	8	1	6
7	9	5	8	2	1	6	4	3
1	4	3	9	7	6	2	5	8
6	8	2	3	4	5	1	7	9
3	2	8	7	9	4	5	6	1
4	5	1	6	8	2	9	3	7
9	6	7	1	5	3	4	8	2

QUESTION **174**

LEVEL 👑👑👑👑👑 TIME 分

CHECK 1 2 3 4 5 6 7 8 9

						4		
			8	7	3			
		8	6		9			3
	5	9				7	1	
	3			1			4	
	8	4				3	6	
3			7		5	2		
			4	2	1			
		6						

174 ヒント

33	34	4	1	6	3	●	53	54
43	44	31	●	●	●	38	35	40
45	41	●	●	5	●	39	32	●
10	●	●	13	12	7	●	●	20
29	●	28	22	●	9	24	●	25
2	●	●	21	19	11	●	●	23
●	50	26	●	8	●	●	52	47
18	49	27	●	●	●	36	15	37
46	30	●	17	14	16	42	48	51

172 解答

9	6	7	5	4	3	8	2	1
3	8	4	2	1	9	6	7	5
1	5	2	6	7	8	9	3	4
2	7	3	9	8	5	1	4	6
8	1	6	4	3	7	2	5	9
4	9	5	1	6	2	3	8	7
6	3	8	7	5	1	4	9	2
5	4	9	3	2	6	7	1	8
7	2	1	8	9	4	5	6	3

180

QUESTION

175

LEVEL ♛♛♛♛♛ TIME 分

CHECK 1 2 3 4 5 6 7 8 9

							3	
	9		5		7		8	1
		5		2				
	3			7			4	
		4	8	9	2	6		
	6			1			2	
				6		7		
7	5		4		3		1	
	2							

175 ヒント

44	38	31	19	10	42	17	●	33
48	●	47	●	4	●	32	●	●
5	35	●	20	●	43	41	40	39
46	●	45	12	●	11	1	●	18
24	25	●	●	●	●	●	23	6
27	●	26	3	●	9	16	●	22
30	49	8	2	●	28	●	21	37
●	●	54	●	15	●	34	●	51
36	●	53	14	13	29	7	52	50

173 解答

8	6	2	3	5	7	9	1	4
7	9	5	4	8	1	2	6	3
4	1	3	2	6	9	7	8	5
9	3	1	5	4	6	8	7	2
5	2	7	1	3	8	6	4	9
6	8	4	7	9	2	5	3	1
1	7	8	9	2	3	4	5	6
3	5	9	6	7	4	1	2	8
2	4	6	8	1	5	3	9	7

QUESTION

176

LEVEL ♛♛♛♛♛ TIME 分

CHECK 1 2 3 4 5 6 7 8 9

		5	7		4	8		
							6	
7		9			6			4
2					1	7		3
				5				
3		4	8					1
4			6			9		8
	2							
		7	3		2	4		

176 ヒント

21	20	●	●	25	●	●	30	27
22	4	1	38	9	37	29	●	5
●	23	●	31	32	●	24	19	●
●	17	43	35	46	●	●	39	●
40	11	16	33	●	3	51	36	52
●	44	●	●	45	14	34	18	●
●	15	10	●	13	12	●	2	●
49	●	41	26	28	54	7	6	47
50	42	●	●	53	●	●	8	48

174 解答

9	6	3	1	5	2	4	7	8
5	4	2	8	7	3	6	9	1
7	1	8	6	4	9	5	2	3
6	5	9	3	8	4	7	1	2
2	3	7	5	1	6	8	4	9
1	8	4	2	9	7	3	6	5
3	9	1	7	6	5	2	8	4
8	7	5	4	2	1	9	3	6
4	2	6	9	3	8	1	5	7

QUESTION

177

LEVEL TIME 分

CHECK 1 2 3 4 5 6 7 8 9

	4		8		2			
7	3							
		2	6			1		
2		4	5		1			7
				2				
6			7		3	4		1
		7			8	6		
							9	3
			3		6		5	

177 ヒント

30	●	16	●	47	●	21	53	54
●	●	17	15	48	28	40	44	50
18	31	●	●	22	43	●	49	32
●	9	●	●	5	●	19	20	●
7	6	4	26	●	25	29	51	52
●	34	35	●	8	●	●	2	●
3	12	●	24	23	●	●	1	27
45	10	33	13	14	41	37	●	●
46	11	36	●	42	●	38	●	39

175 解答

8	7	1	9	4	6	5	3	2
6	9	2	5	3	7	4	8	1
3	4	5	1	2	8	9	6	7
2	3	8	6	7	5	1	4	9
5	1	4	8	9	2	6	7	3
9	6	7	3	1	4	8	2	5
1	8	3	2	6	9	7	5	4
7	5	9	4	8	3	2	1	6
4	2	6	7	5	1	3	9	8

QUESTION

178

LEVEL TIME 分

CHECK 1 2 3 4 5 6 7 8 9

7			3					6
		5	1		4	9		
	2						8	
5	6				1		3	
				8				
	3		9				5	4
	4						6	
		6	4		9	3		
8					5			1

178 ヒント

●	45	48	●	30	5	23	43	●
11	6	●	●	10	●	●	13	12
47	●	46	29	31	28	42	●	32
●	●	53	20	2	●	36	●	41
38	54	37	3	●	1	9	40	24
25	●	44	●	27	26	39	●	●
50	●	49	7	15	19	33	●	35
16	4	●	●	14	●	●	22	8
●	34	21	18	17	●	51	52	●

176 解答

6	3	5	7	1	4	8	9	2
1	4	2	9	3	8	5	6	7
7	8	9	5	2	6	1	3	4
2	5	6	4	9	1	7	8	3
8	7	1	2	5	3	6	4	9
3	9	4	8	6	7	2	5	1
4	1	3	6	7	5	9	2	8
5	2	8	1	4	9	3	7	6
9	6	7	3	8	2	4	1	5

QUESTION
179

LEVEL TIME 分

CHECK 1 2 3 4 5 6 7 8 9

			1					
		8	3		6	7		
	3	5		8			4	
4	1						8	
		7		4		5		
	6						7	3
	5			2		3	1	
		9	8		1	2		
					5			

179 ヒント

27	28	19	●	49	7	24	6	42
4	8	●	●	44	●	●	43	41
26	●	●	39	●	48	3	●	20
●	●	15	18	38	37	45	●	46
51	52	●	36	●	16	●	40	2
13	●	21	22	1	17	9	●	●
32	●	10	35	●	25	●	●	53
30	23	●	●	34	●	●	14	12
29	33	5	11	31	●	54	47	50

177 解答

5	4	1	8	7	2	3	6	9
7	3	6	1	9	5	2	4	8
8	9	2	6	3	4	1	7	5
2	8	4	5	6	1	9	3	7
1	7	3	4	2	9	5	8	6
6	5	9	7	8	3	4	2	1
3	2	7	9	5	8	6	1	4
4	6	5	2	1	7	8	9	3
9	1	8	3	4	6	7	5	2

QUESTION
180

LEVEL ♛♛♛♛♛ TIME 分

CHECK 1 2 3 4 5 6 7 8 9

	1					6		
5				6			7	
		7	8		1	5		2
		2				4		
	9			7			5	
		1				3		
6		4	1		7	2		
	2			3				6
		3					4	

180 ヒント

2	●	21	7	48	40	●	19	38
●	36	20	43	●	49	33	●	39
35	4	●	●	44	●	●	34	●
25	37	●	54	1	53	●	6	23
45	●	5	41	●	42	31	●	32
24	46	●	50	18	47	●	3	22
●	14	●	●	26	●	●	30	29
12	●	11	17	●	16	15	8	●
9	13	●	52	10	51	27	●	28

178 解答

7	1	9	3	5	8	2	4	6
6	8	5	1	2	4	9	7	3
3	2	4	7	9	6	1	8	5
5	6	8	2	4	1	7	3	9
4	9	7	5	8	3	6	1	2
2	3	1	9	6	7	8	5	4
9	4	3	8	1	2	5	6	7
1	5	6	4	7	9	3	2	8
8	7	2	6	3	5	4	9	1

QUESTION
181

LEVEL ♛♛♛♛♛ TIME 分

CHECK 1 2 3 4 5 6 7 8 9

			7		9			
		9			1	8		
	1	2		6			5	
2							7	8
		5		1		4		
9	6							1
	8			9		3	2	
		4	6			1		
			3		2			

181 ヒント

23	14	12	●	27	●	40	1	37
24	13	●	33	34	●	●	26	17
25	●	●	22	●	18	54	●	53
●	7	2	42	19	21	39	●	●
15	11	●	35	●	20	●	47	48
●	●	16	29	41	38	36	10	●
9	●	50	3	●	28	●	●	46
6	5	●	●	44	43	●	52	31
4	8	49	●	32	●	51	45	30

179 解答

7	2	6	1	9	4	8	3	5
1	4	8	3	5	6	7	9	2
9	3	5	2	8	7	1	4	6
4	1	3	5	7	2	6	8	9
8	9	7	6	4	3	5	2	1
5	6	2	9	1	8	4	7	3
6	5	4	7	2	9	3	1	8
3	7	9	8	6	1	2	5	4
2	8	1	4	3	5	9	6	7

QUESTION

182

LEVEL ♛♛♛♛♛ TIME 　分

CHECK 1 2 3 4 5 6 7 8 9

2								
	3					5	4	
		7		9	3	8	6	
			2		8	3		
		4		7		2		
		8	4		1			
	4	3	5	1		9		
	6	9					3	
								1

182 ヒント

●	25	16	39	37	38	7	31	4
26	●	11	20	27	28	●	●	32
5	10	●	12	●	●	●	●	8
49	50	14	●	17	●	●	19	6
46	18	●	41	●	42	●	45	22
43	2	●	●	40	●	47	51	52
23	●	●	●	●	53	●	9	35
1	●	●	30	29	36	33	●	15
13	24	3	54	44	48	34	21	●

180 解答

2	1	9	7	5	3	6	8	4
5	4	8	2	6	9	1	7	3
3	6	7	8	4	1	5	9	2
8	3	2	9	1	5	4	6	7
4	9	6	3	7	2	8	5	1
7	5	1	6	8	4	3	2	9
6	8	4	1	9	7	2	3	5
9	2	5	4	3	8	7	1	6
1	7	3	5	2	6	9	4	8

QUESTION

183

LEVEL ♛♛♛♛♛ TIME 分

CHECK 1 2 3 4 5 6 7 8 9

		2	5			6	7	
	9	7	4			3	2	
	3	8		2				
			8	1	9			
				7		1	4	
	8	4			2	7	1	
	2	6			3	4		

183 ヒント

24	43	26	2	42	8	49	48	46
37	44	●	●	27	41	●	●	50
32	●	●	●	36	40	●	●	45
1	●	●	7	●	4	52	51	13
18	17	19	●	●	●	22	33	29
10	12	11	3	●	6	●	●	9
25	●	●	20	39	●	●	●	34
16	●	●	14	38	●	●	54	53
21	30	31	15	5	35	47	28	23

181 解答

8	5	3	7	4	9	6	1	2
6	7	9	5	2	1	8	4	3
4	1	2	8	6	3	9	5	7
2	4	1	9	3	6	5	7	8
7	3	5	2	1	8	4	6	9
9	6	8	4	7	5	2	3	1
5	8	7	1	9	4	3	2	6
3	2	4	6	8	7	1	9	5
1	9	6	3	5	2	7	8	4

QUESTION
184

LEVEL TIME 分

CHECK 1 2 3 4 5 6 7 8 9

3								6
	7	5		3				
	8		5		1			
		1		6		8		
	9		2	1	3		7	
		7		4		2		
			6		7		2	
				9		1	6	
4								9

184 ヒント

●	18	30	54	11	53	16	20	●
19	●	●	31	●	4	29	22	10
36	●	35	●	13	●	28	27	9
15	23	●	6	●	52	●	45	48
33	●	34	●	●	●	5	●	25
32	24	●	51	●	50	●	49	12
39	21	47	●	41	●	26	●	43
7	38	17	2	●	3	●	●	44
●	37	46	1	40	14	8	42	●

182 解答

2	8	6	7	4	5	1	9	3
9	3	1	6	8	2	5	4	7
4	5	7	1	9	3	8	6	2
7	9	5	2	6	8	3	1	4
6	1	4	3	7	9	2	5	8
3	2	8	4	5	1	6	7	9
8	4	3	5	1	7	9	2	6
1	6	9	8	2	4	7	3	5
5	7	2	9	3	6	4	8	1

QUESTION

185

LEVEL ♛♛♛♛♛ TIME 分

CHECK 1 2 3 4 5 6 7 8 9

								6
		5		4				
	2	6	1		9	7		
		4	3		2	9		
	3			5			1	
		1	6		7	5		
		9	4		1	3	2	
				2		8		
1								

185 ヒント

32	11	20	7	12	22	9	33	●
30	29	●	8	●	5	10	45	46
31	●	●	●	21	●	●	41	42
48	49	●	●	1	●	●	54	53
28	●	19	25	●	4	14	●	16
17	50	●	●	26	●	●	43	44
52	37	●	●	24	●	●	●	40
51	15	18	35	●	6	●	38	2
●	47	3	36	23	27	13	39	34

183 解答

6	1	3	2	9	7	5	8	4
8	4	2	5	3	1	6	7	9
5	9	7	4	6	8	3	2	1
1	3	8	6	2	4	9	5	7
4	7	5	8	1	9	2	6	3
2	6	9	3	7	5	1	4	8
3	8	4	9	5	2	7	1	6
7	2	6	1	8	3	4	9	5
9	5	1	7	4	6	8	3	2

QUESTION 186

LEVEL ♛♛♛♛♛ TIME 分

CHECK 1 2 3 4 5 6 7 8 9

		6	3		4	9		
	9	2		1			5	
	2			3			1	
		1	7	4	2	3		
	5			6			4	
	4			7		8	3	
		3	1		6	2		

186 ヒント

30	4	29	47	24	48	11	38	37
21	33	●	●	23	●	●	25	39
34	●	●	15	●	42	12	●	5
32	●	31	27	●	45	13	●	50
44	18	●	●	●	●	●	49	9
3	●	43	46	●	1	14	●	2
19	●	52	17	●	26	●	●	22
28	51	●	●	54	●	●	36	8
16	20	35	7	53	6	10	41	40

184 解答

3	2	4	9	7	8	5	1	6
1	7	5	4	3	6	9	8	2
9	8	6	5	2	1	3	4	7
2	4	1	7	6	9	8	3	5
5	9	8	2	1	3	6	7	4
6	3	7	8	4	5	2	9	1
8	1	9	6	5	7	4	2	3
7	5	2	3	9	4	1	6	8
4	6	3	1	8	2	7	5	9

QUESTION

187

LEVEL ♛♛♛♛♛ TIME 分

CHECK 1 2 3 4 5 6 7 8 9

				3				
		4			8	2	1	
	3		4		6		5	
		1				9	3	
4				1				2
	7	3				5		
	5		7		1		6	
	1	8	2			7		
				9				

187 ヒント

35	40	41	1	●	34	9	22	10
50	49	●	33	16	●	●	●	6
2	●	24	●	20	●	19	●	23
46	44	●	51	17	28	●	●	25
●	48	18	37	●	36	11	27	●
47	●	●	52	45	21	●	26	3
42	●	43	●	29	●	7	●	53
15	●	●	●	13	32	●	54	30
14	8	12	39	●	38	4	5	31

185 解答

4	1	8	5	7	3	2	9	6
7	9	5	2	4	6	1	3	8
3	2	6	1	8	9	7	5	4
5	6	4	3	1	2	9	8	7
9	3	7	8	5	4	6	1	2
2	8	1	6	9	7	5	4	3
8	7	9	4	6	1	3	2	5
6	4	3	9	2	5	8	7	1
1	5	2	7	3	8	4	6	9

QUESTION

188

LEVEL ♛♛♛♛♛ TIME 分

CHECK 1 2 3 4 5 6 7 8 9

4								5
				2		8		
			5	3	4		7	
		9	4			3		
	2	8		5		9	6	
		1			2	5		
	5		3	6	1			
		4		7				
9								1

188 ヒント

●	53	26	50	3	52	34	35	●
44	54	14	51	●	37	●	10	27
38	40	28	●	●	●	4	●	33
13	15	●	●	23	18	●	1	5
16	●	●	2	●	6	●	●	9
8	7	●	17	24	●	●	20	19
30	●	22	●	●	●	12	32	31
41	42	●	49	●	47	36	45	39
●	43	25	29	11	48	21	46	●

186 解答

4	3	5	8	2	9	1	6	7
1	7	6	3	5	4	9	2	8
8	9	2	6	1	7	4	5	3
7	2	4	5	3	8	6	1	9
9	6	1	7	4	2	3	8	5
3	5	8	9	6	1	7	4	2
6	4	9	2	7	5	8	3	1
5	8	3	1	9	6	2	7	4
2	1	7	4	8	3	5	9	6

QUESTION

189

LEVEL ♛♛♛♛♛ TIME 分

CHECK 1 2 3 4 5 6 7 8 9

		1	9	4			8	
	6	5			2	9		
	1			5		8		
	8		4	1	6		3	
		4		3			2	
		3	7			4	5	
	4			9	5	1		

189 ヒント

21	9	25	5	6	16	26	17	27
37	36	●	●	●	8	42	●	43
20	●	●	15	7	●	●	22	10
3	●	45	2	●	49	●	41	23
48	●	29	●	●	●	28	●	40
44	47	●	24	●	50	39	●	1
46	52	●	●	31	14	●	●	34
35	●	51	12	●	●	●	38	33
18	19	30	13	32	4	11	53	54

187 解答

5	8	2	1	3	9	4	7	6
9	6	4	5	7	8	2	1	3
1	3	7	4	2	6	8	5	9
8	2	1	6	5	4	9	3	7
4	9	5	3	1	7	6	8	2
6	7	3	9	8	2	5	4	1
2	5	9	7	4	1	3	6	8
3	1	8	2	6	5	7	9	4
7	4	6	8	9	3	1	2	5

QUESTION

190

LEVEL ♛♛♛♛♛ TIME 分

CHECK 1 2 3 4 5 6 7 8 9

	5					7	3	
6								1
			9		3			4
		6		9	5	3		
			7	2	6			
		9	3	8		4		
3			1		2			
9								8
	4	1					2	

190 ヒント

30	●	17	40	32	15	●	●	8
●	5	6	34	52	51	28	36	●
27	31	14	●	37	●	29	35	●
33	45	●	2	●	●	●	21	42
18	7	22	●	●	●	20	19	11
12	44	●	●	●	1	●	43	41
●	23	26	●	50	●	46	54	48
●	24	25	38	4	49	16	53	●
13	●	●	10	47	9	39	●	3

188 解答

4	7	3	8	1	9	6	2	5
1	9	5	7	2	6	8	4	3
6	8	2	5	3	4	1	7	9
5	6	9	4	8	7	3	1	2
7	2	8	1	5	3	9	6	4
3	4	1	6	9	2	5	8	7
2	5	7	3	6	1	4	9	8
8	1	4	9	7	5	2	3	6
9	3	6	2	4	8	7	5	1

QUESTION

191

LEVEL ♛♛♛♛♛ TIME 分

CHECK 1 2 3 4 5 6 7 8 9

		1				8		
				9		5		
4		7				6	3	9
			1	2				
	2		7		4		5	
				8	3			
2	9	4				7		6
		5		1				
		8				2		

191 ヒント

3	10	●	14	18	15	●	53	52
43	42	1	19	●	17	●	21	6
●	9	●	7	11	4	●	●	●
28	47	36	●	●	27	37	48	51
29	●	33	●	12	●	31	●	34
39	38	46	26	●	●	32	50	49
●	●	●	24	13	25	●	5	●
45	44	●	23	●	8	35	55	54
41	40	●	16	20	22	●	30	2

189 解答

4	3	9	5	6	8	2	1	7
7	2	1	9	4	3	5	8	6
8	6	5	1	7	2	9	4	3
3	1	6	2	5	7	8	9	4
9	8	2	4	1	6	7	3	5
5	7	4	8	3	9	6	2	1
6	9	3	7	8	1	4	5	2
2	4	7	3	9	5	1	6	8
1	5	8	6	2	4	3	7	9

QUESTION

192

LEVEL ♛♛♛♛♛ TIME 分

CHECK 1 2 3 4 5 6 7 8 9

				6				
		8	3			2	5	
	2	1		7			4	
	7				6			
9		3		2		1		5
			1				9	
	1			3		4	6	
	5	7			2	8		
				4				

192 ヒント

34	19	52	2	●	53	40	25	23
35	51	●	●	28	54	●	●	37
36	●	●	33	●	42	41	●	20
1	●	15	18	17	●	9	13	14
●	6	●	10	●	11	●	12	●
48	49	50	●	16	3	38	●	39
45	●	46	31	●	32	●	●	29
4	●	●	7	44	●	●	22	26
21	47	8	43	●	27	5	30	24

190 解答

2	5	4	6	1	8	7	3	9
6	9	3	2	7	4	8	5	1
8	1	7	9	5	3	2	6	4
1	7	6	4	9	5	3	8	2
4	3	8	7	2	6	9	1	5
5	2	9	3	8	1	4	7	6
3	8	5	1	4	2	6	9	7
9	6	2	5	3	7	1	4	8
7	4	1	8	6	9	5	2	3

QUESTION

193

LEVEL ♛♛♛♛♛ TIME 分

CHECK 1 2 3 4 5 6 7 8 9

		1	5	3		2		
	6	4		2		7	3	
	1				6			
	2	6		4		5	1	
			2				4	
	3	8		1		4	2	
		2		9	7	8		

193 ヒント

2	35	5	13	12	18	22	38	21
33	34	●	●	●	37	●	19	17
16	●	●	14	●	36	●	●	39
6	●	48	53	44	●	9	41	3
47	●	●	54	●	7	●	●	40
8	32	45	●	43	1	42	●	31
50	●	●	11	●	10	●	●	51
29	23	●	25	●	●	●	20	27
28	46	49	24	15	4	30	52	26

191 解答

9	5	1	3	7	6	8	4	2
6	3	2	4	9	8	5	7	1
4	8	7	2	5	1	6	3	9
5	7	3	1	2	9	4	6	8
8	2	9	7	6	4	1	5	3
1	4	6	5	8	3	9	2	7
2	9	4	8	3	5	7	1	6
7	6	5	9	1	2	3	8	4
3	1	8	6	4	7	2	9	5

QUESTION

194

LEVEL ♛♛♛♛♛ TIME 分

CHECK 1 2 3 4 5 6 7 8 9

	2			9			8	3
3	6							1
		1				7		
				2	6			
2			5		3			9
			1	4				
		3				4		
9							3	2
7	1			8			5	

194 ヒント

19	●	16	27	●	1	22	●	●
●	●	21	26	10	15	11	18	●
20	17	●	53	5	52	●	24	25
2	30	49	50	●	●	28	39	32
●	43	42	●	9	●	47	37	●
48	29	33	●	●	51	46	12	31
41	23	●	55	38	54	●	34	36
●	45	44	14	40	13	35	●	●
●	●	3	4	●	6	7	●	8

192 解答

5	3	9	2	6	4	7	1	8
7	4	8	3	1	9	2	5	6
6	2	1	5	7	8	9	4	3
1	7	5	9	8	6	3	2	4
9	6	3	4	2	7	1	8	5
2	8	4	1	5	3	6	9	7
8	1	2	7	3	5	4	6	9
4	5	7	6	9	2	8	3	1
3	9	6	8	4	1	5	7	2

QUESTION

195

LEVEL ♛♛♛♛♛ TIME 分

CHECK 1 2 3 4 5 6 7 8 9

8								6
				9		1		
		3	1			4	9	
		8		4	2			
	1		7		6		5	
			9	1		2		
	5	9			4	8		
		2		3				
3								7

195 ヒント

●	3	1	5	12	41	30	22	●
47	46	48	9	●	50	●	31	28
40	27	●	●	11	49	●	●	29
4	10	●	6	●	●	42	54	15
2	●	16	●	8	●	21	●	20
51	52	53	●	●	7	●	55	37
18	●	●	38	14	●	●	34	23
44	43	●	39	●	24	35	26	32
●	45	17	36	13	25	19	33	●

193 解答

2	9	3	7	6	4	1	8	5
8	7	1	5	3	9	2	6	4
5	6	4	1	2	8	7	3	9
4	1	9	8	5	6	3	7	2
7	2	6	9	4	3	5	1	8
3	8	5	2	7	1	9	4	6
9	3	8	6	1	5	4	2	7
6	4	2	3	9	7	8	5	1
1	5	7	4	8	2	6	9	3

QUESTION

196

LEVEL ♛♛♛♛♛ TIME 分

CHECK 1 2 3 4 5 6 7 8 9

4								8
	2				6			
		5	7	3		4		
		7		5			6	
		9	8		1	3		
	4			2		1		
		6		4	2	7		
			1				3	
1								5

196 ヒント

●	36	49	2	53	6	9	42	●
41	●	48	4	51	●	8	43	3
27	50	●	●	●	52	●	21	28
34	1	●	37	●	5	33	●	20
22	23	●	●	17	●	●	25	12
24	●	35	18	●	38	●	32	16
39	46	●	7	●	●	●	29	31
47	26	13	●	54	45	15	●	10
●	44	14	55	19	40	30	11	●

194 解答

4	2	7	6	9	1	5	8	3
3	6	8	4	5	7	2	9	1
5	9	1	2	3	8	7	6	4
1	7	9	8	2	6	3	4	5
2	4	6	5	7	3	8	1	9
8	3	5	1	4	9	6	2	7
6	5	3	9	1	2	4	7	8
9	8	4	7	6	5	1	3	2
7	1	2	3	8	4	9	5	6

QUESTION
197

LEVEL ♛♛♛♛♛ TIME 分

CHECK 1 2 3 4 5 6 7 8 9

5				3				9
	4						6	
		7	5			3		
		5	2		3			
9				6				4
			8		5	6		
		1			8	5		
	3						8	
2				1				7

197 ヒント

●	45	15	39	●	27	53	52	●
7	●	43	35	8	38	42	●	1
44	34	●	●	11	16	●	22	46
33	55	●	●	30	●	37	48	51
●	56	6	40	●	41	50	2	●
47	54	29	●	36	●	●	49	20
28	31	●	18	9	●	●	24	21
12	●	32	25	4	10	14	●	13
●	3	5	17	●	26	23	19	●

195 解答

8	9	1	4	2	7	5	3	6
6	4	5	3	9	8	1	7	2
7	2	3	1	6	5	4	9	8
9	3	8	5	4	2	7	6	1
2	1	4	7	8	6	3	5	9
5	6	7	9	1	3	2	8	4
1	5	9	6	7	4	8	2	3
4	7	2	8	3	9	6	1	5
3	8	6	2	5	1	9	4	7

QUESTION

198

LEVEL ♛♛♛♛♛ TIME 分

CHECK 1 2 3 4 5 6 7 8 9

				4				
	9	8	1				2	
	5	3	8		2			
	4	1				9		
3								5
		2				8	6	
			9		7	2	4	
	2				6	3	7	
				1				

198 ヒント

1	45	36	38	●	9	32	18	17
49	●	●	●	31	29	44	●	39
48	●	●	●	37	●	43	8	42
23	●	●	40	41	33	●	5	2
●	22	12	25	4	24	15	6	●
13	16	●	11	10	7	●	●	14
35	52	34	●	27	●	●	●	47
46	●	50	28	21	●	●	●	55
53	30	51	3	●	26	20	19	54

196 解答

4	3	1	2	9	5	6	7	8
7	2	8	4	1	6	5	9	3
6	9	5	7	3	8	4	2	1
8	1	7	3	5	4	9	6	2
2	6	9	8	7	1	3	5	4
5	4	3	6	2	9	1	8	7
3	8	6	5	4	2	7	1	9
9	5	4	1	8	7	2	3	6
1	7	2	9	6	3	8	4	5

QUESTION

199

LEVEL ♛♛♛♛♛ TIME 分

CHECK 1 2 3 4 5 6 7 8 9

	9	8		1		3	6	
	4	1	3				5	
		3	9		6			
	5						8	
			5		8	9		
	8				9	5	1	
	1	4		8		6	2	

199 ヒント

49	48	13	2	19	42	40	17	5
33	●	●	39	●	14	●	●	54
20	●	●	●	18	43	41	●	55
3	25	●	●	29	●	4	27	1
7	●	8	34	22	35	23	●	9
6	53	52	●	28	●	●	26	24
47	●	51	37	30	●	●	●	44
12	●	●	10	●	21	●	●	16
15	50	31	36	11	38	46	32	45

197 解答

5	1	6	7	3	4	8	2	9
3	4	2	9	8	1	7	6	5
8	9	7	5	2	6	3	4	1
6	7	5	2	4	3	9	1	8
9	8	3	1	6	7	2	5	4
1	2	4	8	9	5	6	7	3
4	6	1	3	7	8	5	9	2
7	3	9	4	5	2	1	8	6
2	5	8	6	1	9	4	3	7

QUESTION
200

LEVEL ♛♛♛♛♛ TIME 分

CHECK 1 2 3 4 5 6 7 8 9

			1					
	4	2		7			9	
	5			8		7		
5				6				
	1	7	4		2	8	3	
				1				2
		9		2			8	
	3			9		6	1	
					3			

200 ヒント

22	53	25	●	5	35	32	31	44
52	●	●	9	●	8	40	●	43
45	●	13	2	●	36	●	34	42
●	3	46	48	●	23	37	39	38
49	●	●	●	7	●	●	●	26
55	54	41	47	●	24	28	27	●
15	20	●	18	●	1	30	●	29
4	●	21	16	●	10	●	●	14
12	19	11	17	6	●	51	33	50

198 解答

2	1	6	7	4	9	5	8	3
7	9	8	1	5	3	4	2	6
4	5	3	8	6	2	1	9	7
8	4	1	6	7	5	9	3	2
3	6	9	4	2	8	7	1	5
5	7	2	3	9	1	8	6	4
6	8	5	9	3	7	2	4	1
1	2	4	5	8	6	3	7	9
9	3	7	2	1	4	6	5	8

QUESTION

201

LEVEL ♛♛♛♛♛ TIME 分

CHECK 1 2 3 4 5 6 7 8 9

				6				
		8	9		1	4	2	
	2	9					1	
	1				5		4	
2				3				7
	3		4				8	
	6					2	5	
	4	3	7		2	1		
				1				

201 ヒント

45	32	10	3	●	44	50	38	34
40	33	●	●	24	●	●	●	47
46	●	●	17	43	39	35	●	49
30	●	13	19	27	●	7	●	4
●	20	8	1	●	26	9	29	●
31	●	12	●	5	25	28	●	2
11	●	14	18	51	52	●	●	41
23	●	●	●	16	●	●	48	54
22	21	6	15	●	42	53	36	37

199 解答

7	3	5	8	6	2	4	9	1
2	9	8	4	1	5	3	6	7
6	4	1	3	9	7	2	5	8
8	2	3	9	7	6	1	4	5
4	5	9	2	3	1	7	8	6
1	7	6	5	4	8	9	3	2
3	8	7	6	2	9	5	1	4
5	1	4	7	8	3	6	2	9
9	6	2	1	5	4	8	7	3

QUESTION

202

LEVEL ♛♛♛♛♛ TIME 分

CHECK 1 2 3 4 5 6 7 8 9

				6				
		9	7		1	5		
	2				4		1	
	9				2	1	5	
6								7
	8	2	5				6	
	7		2				3	
		5	9		8	4		
				1				

202 ヒント

36	24	37	43	●	8	51	39	13
35	38	●	●	3	●	●	50	32
9	●	31	42	11	●	40	●	44
41	●	47	5	49	●	●	●	54
●	4	48	1	52	46	29	55	●
2	●	●	●	19	53	45	●	20
25	●	23	●	7	12	28	●	21
18	30	●	●	15	●	●	17	22
33	14	34	6	●	16	26	27	10

200 解答

7	9	6	1	3	4	2	5	8
8	4	2	5	7	6	1	9	3
3	5	1	2	8	9	7	4	6
5	2	3	9	6	8	4	7	1
6	1	7	4	5	2	8	3	9
9	8	4	3	1	7	5	6	2
4	7	9	6	2	1	3	8	5
2	3	8	7	9	5	6	1	4
1	6	5	8	4	3	9	2	7

QUESTION

203

LEVEL ♛♛♛♛♛ TIME 分

CHECK 1 2 3 4 5 6 7 8 9

9						7		5
	8						4	
			4		5	9		2
		1		2		3		
			6	1	3			
		2		4		6		
2		9	8		1			
	3						1	
5		8						9

203 ヒント

●	6	8	3	47	14	●	36	●
34	●	9	38	17	39	2	●	35
5	33	10	●	46	●	●	37	●
31	27	●	30	●	50	●	54	53
32	21	12	●	●	●	22	20	28
7	29	●	51	●	13	●	52	1
●	26	●	●	43	●	24	23	41
25	●	11	40	16	49	15	●	45
●	4	●	48	42	18	19	44	●

201 解答

4	7	1	2	6	8	9	3	5
3	5	8	9	7	1	4	2	6
6	2	9	5	4	3	7	1	8
7	1	6	8	9	5	3	4	2
2	8	4	1	3	6	5	9	7
9	3	5	4	2	7	6	8	1
1	6	7	3	8	9	2	5	4
8	4	3	7	5	2	1	6	9
5	9	2	6	1	4	8	7	3

QUESTION

204

LEVEL ♛♛♛♛♛ TIME 分

CHECK 1 2 3 4 5 6 7 8 9

9				2				3
	1	8		5				
	5		6		3			
		9				2		
1	4						9	5
		6				3		
			7		8		2	
				9		1	7	
2				1				6

204 ヒント

●	7	12	43	●	42	39	8	●
5	●	●	54	●	55	40	29	3
11	●	2	●	38	●	41	35	34
51	13	●	23	27	46	●	48	36
●	●	14	37	17	26	28	●	●
50	4	●	45	47	44	●	49	16
30	20	1	●	22	●	9	●	33
31	21	15	25	●	24	●	●	18
●	19	10	52	●	53	32	6	●

202 解答

8	1	7	3	6	5	9	4	2
3	4	9	7	2	1	5	8	6
5	2	6	8	9	4	7	1	3
7	9	3	6	4	2	1	5	8
6	5	4	1	8	3	2	9	7
1	8	2	5	7	9	3	6	4
4	7	1	2	5	6	8	3	9
2	6	5	9	3	8	4	7	1
9	3	8	4	1	7	6	2	5

QUESTION
205

LEVEL ♛♛♛♛♛ TIME 分

CHECK 1 2 3 4 5 6 7 8 9

9								7
	3	4		2		6	1	
	1				5		2	
					7	4		
	4						3	
		1	2					
	2		3				9	
	8	3		9		2	5	
6								4

205 ヒント

●	10	1	52	51	19	14	5	●
9	●	●	48	●	53	●	●	11
13	●	12	8	7	●	15	●	4
25	32	46	37	18	●	●	43	21
36	●	45	55	54	20	30	●	24
17	31	●	●	28	47	16	42	44
26	●	33	●	38	39	22	●	41
23	●	●	6	●	27	●	●	40
●	35	34	50	49	2	3	29	●

203 解答

9	2	4	1	8	6	7	3	5
7	8	5	3	9	2	1	4	6
1	6	3	4	7	5	9	8	2
6	4	1	5	2	7	3	9	8
8	9	7	6	1	3	5	2	4
3	5	2	9	4	8	6	7	1
2	7	9	8	6	1	4	5	3
4	3	6	2	5	9	8	1	7
5	1	8	7	3	4	2	6	9

QUESTION

206

LEVEL ♛♛♛♛♛ TIME 分

CHECK 1 2 3 4 5 6 7 8 9

6			5					
	7		4				9	
		9		1		8		
2	5			3				
		4	2	7	1	5		
				4			1	3
		3		8		9		
	2				3		7	
					2			4

206 ヒント

●	18	39	●	37	48	22	23	16
17	●	38	●	36	47	19	●	8
7	12	●	3	●	14	●	11	13
●	●	1	50	●	35	24	41	25
20	51	●	●	●	●	●	40	26
52	42	28	49	●	6	2	●	●
27	34	●	30	●	4	●	9	10
5	●	44	31	46	●	33	●	15
53	54	43	29	45	●	32	21	●

204 解答

9	6	4	1	2	7	8	5	3
3	1	8	4	5	9	7	6	2
7	5	2	6	8	3	4	1	9
8	7	9	3	6	5	2	4	1
1	4	3	8	7	2	6	9	5
5	2	6	9	4	1	3	8	7
6	9	1	7	3	8	5	2	4
4	3	5	2	9	6	1	7	8
2	8	7	5	1	4	9	3	6

QUESTION

207

LEVEL　　TIME　　分

CHECK 1 2 3 4 5 6 7 8 9

		5	7			2	6	
	8		1		4		7	
	1	2		5		9		
			3		2			
		6		1		4	3	
	6		2		9		5	
	2	7			3	6		

207 ヒント

28	18	45	26	47	6	41	34	54
42	44	●	●	46	15	●	●	55
27	●	17	●	29	●	16	●	11
4	●	●	5	●	7	●	13	12
19	24	25	●	20	●	9	10	8
22	23	●	21	●	14	●	●	2
50	●	43	●	31	●	53	●	49
37	●	●	39	32	●	●	35	40
36	48	51	38	30	1	33	3	52

205 解答

9	5	2	6	1	3	8	4	7
7	3	4	8	2	9	6	1	5
8	1	6	4	7	5	9	2	3
2	6	9	5	3	7	4	8	1
5	4	8	9	6	1	7	3	2
3	7	1	2	4	8	5	6	9
4	2	7	3	5	6	1	9	8
1	8	3	7	9	4	2	5	6
6	9	5	1	8	2	3	7	4

QUESTION
208

LEVEL ♛♛♛♛♛ TIME 分

CHECK 1 2 3 4 5 6 7 8 9

			3		1			
	7	8					4	
	5	1		8		6		
8			6					2
		2				7		
6					5			8
		6		1		2	9	
	1					5	7	
			9		7			

208 ヒント

23	5	42	●	40	●	26	29	9
53	●	●	15	30	20	50	●	49
52	●	●	8	●	41	●	22	51
●	35	4	●	7	34	38	24	●
1	37	●	19	33	18	●	27	28
●	36	6	2	3	●	39	21	●
10	14	●	12	●	32	●	●	31
43	●	55	17	45	16	●	●	48
11	13	54	●	44	●	47	25	46

206 解答

6	3	8	5	2	9	7	4	1
1	7	2	4	6	8	3	9	5
5	4	9	3	1	7	8	2	6
2	5	1	9	3	6	4	8	7
3	8	4	2	7	1	5	6	9
9	6	7	8	4	5	2	1	3
7	1	3	6	8	4	9	5	2
4	2	5	1	9	3	6	7	8
8	9	6	7	5	2	1	3	4

QUESTION
209

LEVEL ♛♛♛♛♛ TIME 分

CHECK 1 2 3 4 5 6 7 8 9

	1						7	
5		4				2		9
	9	2		4			1	
			1		7			
		6		2		1		
			3		4			
	2			1		5	9	
1		9				4		3
	3						8	

209 ヒント

20	●	38	37	22	44	40	●	6
●	32	●	43	8	1	●	9	●
39	●	●	33	●	34	41	●	7
46	23	42	●	47	●	49	25	29
31	24	●	54	●	53	●	26	27
30	45	2	●	48	●	50	19	28
15	●	12	17	●	5	●	●	14
●	10	●	52	18	51	●	4	●
16	●	11	35	21	36	13	●	3

207 解答

2	7	3	6	9	5	1	4	8
1	4	5	7	3	8	2	6	9
6	8	9	1	2	4	3	7	5
3	1	2	4	5	6	9	8	7
7	9	4	3	8	2	5	1	6
8	5	6	9	1	7	4	3	2
4	6	1	2	7	9	8	5	3
5	2	7	8	4	3	6	9	1
9	3	8	5	6	1	7	2	4

QUESTION
210

LEVEL ♛♛♛♛♛ TIME 分

CHECK 1 2 3 4 5 6 7 8 9

	5							
2		4				8	3	
	7		3		2		4	
		7		3		4		
			4		8			
		6		5		1		
	6		1		7		8	
	1	9				3		6
							9	

210 ヒント

30	●	31	8	14	15	9	2	10
●	6	●	20	44	45	●	●	13
11	●	12	●	17	●	24	●	25
52	47	●	43	●	42	●	27	54
46	51	26	●	41	●	22	34	55
38	50	●	16	●	7	●	18	53
28	●	29	●	5	●	33	●	4
37	●	●	40	39	19	●	21	●
23	36	35	49	48	3	32	●	1

208 解答

2	6	4	3	9	1	8	5	7
9	7	8	2	5	6	3	4	1
3	5	1	7	8	4	6	2	9
8	3	5	6	7	9	4	1	2
1	9	2	4	3	8	7	6	5
6	4	7	1	2	5	9	3	8
7	8	6	5	1	3	2	9	4
4	1	9	8	6	2	5	7	3
5	2	3	9	4	7	1	8	6

QUESTION
211

LEVEL 👑👑👑👑👑 TIME 分

CHECK 1 2 3 4 5 6 7 8 9

	6			5				
4				6				
		9	2		4			
		3		8		6		
2	8		6	7	5		3	9
		1		9		7		
			1		7	9		
				4				5
				3			6	

211 ヒント

35	●	39	49	●	54	51	40	33
●	38	14	41	●	53	50	52	34
23	24	●	●	2	●	15	22	9
43	44	●	7	●	1	●	17	16
●	●	13	●	●	●	3	●	●
10	18	●	6	●	4	●	32	31
19	30	12	●	5	●	●	27	26
25	42	45	48	●	11	29	21	●
46	36	37	8	●	47	28	●	20

209 解答

6	1	8	2	5	9	3	7	4
5	7	4	8	3	1	2	6	9
3	9	2	7	4	6	8	1	5
9	5	3	1	8	7	6	4	2
7	4	6	9	2	5	1	3	8
2	8	1	3	6	4	9	5	7
8	2	7	4	1	3	5	9	6
1	6	9	5	7	8	4	2	3
4	3	5	6	9	2	7	8	1

QUESTION

212

LEVEL ♛♛♛♛♛ TIME 分

CHECK 1 2 3 4 5 6 7 8 9

		3	1			9		
	8		5		2		6	
6								2
2	3				7		5	
	7		8				3	6
1								5
	9		2		5		4	
		4			3	1		

212 ヒント

14	2	●	●	44	45	●	49	50
31	●	9	●	47	●	38	●	7
●	18	30	48	20	21	13	8	●
●	●	41	54	55	●	27	●	12
25	10	40	19	37	43	34	24	36
26	●	42	●	39	11	35	●	●
●	17	3	51	52	22	6	32	●
5	●	28	●	1	●	16	●	33
29	15	●	46	53	●	●	4	23

210 解答

3	5	8	9	7	4	6	1	2
2	9	4	5	1	6	8	3	7
6	7	1	3	8	2	9	4	5
9	2	7	6	3	1	4	5	8
1	3	5	4	2	8	7	6	9
4	8	6	7	5	9	1	2	3
5	6	3	1	9	7	2	8	4
8	1	9	2	4	5	3	7	6
7	4	2	8	6	3	5	9	1

QUESTION

213

LEVEL ♛♛♛♛♛ TIME 分

CHECK 1 2 3 4 5 6 7 8 9

				9		4		
			4		1		8	
		8				9		6
	5		9		3		1	
7								2
	6		2		5		3	
4		7				3		
	8		5		7			
		6		3				

213 ヒント

15	40	39	8	●	11	●	21	1
24	9	22	●	12	●	20	●	2
4	3	●	6	13	14	●	10	●
25	●	32	●	31	●	17	●	27
●	43	41	51	44	52	23	47	●
26	●	42	●	46	●	30	●	48
●	34	●	53	54	55	●	35	7
16	●	38	●	36	●	19	18	49
5	37	●	33	●	45	28	50	29

211 解答

1	6	7	8	5	9	3	2	4
4	2	5	7	6	3	8	9	1
8	3	9	2	1	4	5	7	6
7	9	3	4	8	1	6	5	2
2	8	4	6	7	5	1	3	9
6	5	1	3	9	2	7	4	8
5	4	6	1	2	7	9	8	3
3	7	8	9	4	6	2	1	5
9	1	2	5	3	8	4	6	7

QUESTION

214

LEVEL ♛♛♛♛♛ TIME 分

CHECK 1 2 3 4 5 6 7 8 9

				2		3		
					9		8	
		1	3		8			9
		8			6	2	3	
1								4
	3	2	7			6		
3			8		2	5		
	4		5					
		7		1				

214 ヒント

53	52	4	22	●	27	●	14	30
45	47	3	35	36	●	20	●	28
41	42	●	●	37	●	19	29	●
48	49	●	38	26	●	●	●	23
●	6	5	2	17	7	15	18	●
40	●	●	●	39	21	●	24	16
●	1	51	●	33	●	●	12	13
50	●	46	●	8	10	55	25	31
43	44	●	34	●	11	54	32	9

212 解答

5	2	3	1	6	4	9	7	8
9	8	1	5	7	2	4	6	3
6	4	7	9	3	8	5	1	2
2	3	6	4	9	7	8	5	1
8	1	5	3	2	6	7	9	4
4	7	9	8	5	1	2	3	6
1	6	2	7	4	9	3	8	5
3	9	8	2	1	5	6	4	7
7	5	4	6	8	3	1	2	9

QUESTION

215

LEVEL ♛♛♛♛♛ TIME 分

CHECK 1 2 3 4 5 6 7 8 9

		1			9	5		
				1				
4			5		7	3		2
		2				6		8
	8			2			3	
9		3				4		
3		5	7		2			9
				4				
		4	3			7		

215 ヒント

45	37	●	21	8	●	●	43	23
10	9	44	12	●	22	20	26	42
●	27	18	●	19	●	●	1	●
33	5	●	31	38	7	●	41	●
46	●	47	24	●	32	28	●	40
●	11	●	39	13	25	●	2	14
●	17	●	●	16	●	15	6	●
54	53	29	34	●	49	3	51	4
36	35	●	●	30	50	●	52	48

213 解答

6	3	2	7	9	8	4	5	1
9	7	5	4	6	1	2	8	3
1	4	8	3	5	2	9	7	6
2	5	4	9	7	3	6	1	8
7	9	3	8	1	6	5	4	2
8	6	1	2	4	5	7	3	9
4	1	7	6	8	9	3	2	5
3	8	9	5	2	7	1	6	4
5	2	6	1	3	4	8	9	7

QUESTION

216

LEVEL ♛♛♛♛♛ TIME 分

CHECK 1 2 3 4 5 6 7 8 9

		6		2		3		
				3			1	
1					4	8		2
			3			9		
3	2			1			8	7
		5			2			
5		2	7					4
	1			5				
		3		6		2		

216 ヒント

45	40	●	7	●	43	●	30	42
2	31	46	24	●	44	29	●	41
●	5	19	9	21	●	●	10	●
48	47	1	●	16	12	●	3	25
●	●	13	22	●	23	11	●	●
26	49	●	18	17	●	32	34	33
●	15	●	●	20	38	35	54	●
14	●	51	4	●	39	27	28	37
52	50	●	6	●	36	●	8	53

214 解答

9	8	4	1	2	5	3	7	6
2	7	3	6	4	9	1	8	5
6	5	1	3	7	8	4	2	9
7	9	8	4	5	6	2	3	1
1	6	5	2	8	3	7	9	4
4	3	2	7	9	1	6	5	8
3	1	9	8	6	2	5	4	7
8	4	6	5	3	7	9	1	2
5	2	7	9	1	4	8	6	3

QUESTION

217

LEVEL ♛♛♛♛♛ TIME 分

CHECK 1 2 3 4 5 6 7 8 9

	9		2		7	8		
		2			8	5	9	
	7			3		2	1	
			7		2			
	5	4		1			3	
	1	8	4			3		
		3	1		9		2	

217 ヒント

26	19	46	32	49	1	31	43	2
40	●	41	●	48	●	●	44	15
11	47	●	25	45	●	●	●	14
18	●	51	34	●	7	●	●	37
42	27	50	●	33	●	36	17	35
3	●	●	20	●	9	28	●	29
52	●	●	●	5	8	●	30	55
23	39	●	●	13	●	54	●	16
53	4	12	22	21	6	10	24	38

215 解答

7	2	1	8	3	9	5	6	4
5	3	6	2	1	4	8	9	7
4	9	8	5	6	7	3	1	2
1	4	2	9	5	3	6	7	8
6	8	7	4	2	1	9	3	5
9	5	3	6	7	8	4	2	1
3	6	5	7	8	2	1	4	9
8	7	9	1	4	6	2	5	3
2	1	4	3	9	5	7	8	6

QUESTION

218

LEVEL ♛♛♛♛♛ TIME 分

CHECK 1 2 3 4 5 6 7 8 9

							7	
		5	7			2		3
	4	8				9	1	
	3			5	2			
			9	1	8			
			3	4			6	
	9	4				7	3	
3		2			5	4		
	1							

218 ヒント

46	7	1	16	48	44	13	●	41
45	6	●	●	49	43	●	42	●
5	●	●	19	21	22	●	●	15
50	●	54	3	●	●	52	40	8
47	30	29	●	●	●	2	32	36
37	31	53	●	●	4	51	●	35
14	●	●	17	18	20	●	●	11
●	28	●	12	24	●	●	34	10
27	●	26	9	23	25	33	38	39

216 解答

8	5	6	1	2	7	3	4	9
2	4	9	6	3	8	7	1	5
1	3	7	5	9	4	8	6	2
7	8	1	3	4	5	9	2	6
3	2	4	9	1	6	5	8	7
6	9	5	8	7	2	4	3	1
5	6	2	7	8	3	1	9	4
4	1	8	2	5	9	6	7	3
9	7	3	4	6	1	2	5	8

QUESTION
219

LEVEL ♛♛♛♛♛ TIME 分

CHECK 1 2 3 4 5 6 7 8 9

	7	3		5			6	
	8		6		7	2		
		7			4	1		
	9			6			4	
		8	1			7		
		2	3		8		7	
	6			1		8	9	

219 ヒント

49	48	9	36	27	45	30	12	2
28	●	●	13	●	46	44	●	43
37	●	47	●	31	●	●	54	53
22	29	●	18	14	●	●	23	20
34	●	35	3	●	26	25	●	11
39	38	●	●	33	32	●	24	21
56	50	●	●	40	●	10	●	52
5	●	19	17	●	16	●	●	8
6	7	55	41	4	1	42	51	15

217 解答

3	8	5	9	6	1	7	4	2
4	9	1	2	5	7	8	6	3
7	6	2	3	4	8	5	9	1
8	7	9	5	3	4	2	1	6
1	3	6	7	9	2	4	8	5
2	5	4	8	1	6	9	3	7
6	1	8	4	2	5	3	7	9
5	4	3	1	7	9	6	2	8
9	2	7	6	8	3	1	5	4

QUESTION

220

LEVEL ♛♛♛♛♛ TIME 分

CHECK 1 2 3 4 5 6 7 8 9

		1				2		
	8		2	7				
5					4			9
	1			2		6		
	5		8		1		2	
		3		4			7	
6			3					5
				8	7		9	
		9				7		

220 ヒント

43	48	●	51	32	4	●	46	2
49	●	45	●	●	34	13	47	18
●	22	21	28	50	●	33	20	●
44	●	8	3	●	55	●	12	36
5	●	52	●	35	●	14	●	37
9	53	●	31	●	54	11	●	10
●	24	23	●	16	15	19	17	●
7	39	1	30	●	●	25	●	41
6	40	●	26	27	29	●	38	42

218 解答

9	2	3	5	8	1	6	7	4
1	6	5	7	9	4	2	8	3
7	4	8	2	6	3	9	1	5
8	3	9	6	5	2	1	4	7
4	7	6	9	1	8	3	5	2
2	5	1	3	4	7	8	6	9
5	9	4	8	2	6	7	3	1
3	8	2	1	7	5	4	9	6
6	1	7	4	3	9	5	2	8

QUESTION

221

LEVEL ♛♛♛♛♛ TIME 分

CHECK 1 2 3 4 5 6 7 8 9

	8			3			5	
1	2			8				9
			2		7			
		3				5		
8	5			2			3	6
		7				2		
			4		1			
4				9			1	3
	9			6			2	

221 ヒント

6	●	16	35	●	36	38	●	2
●	●	27	11	●	23	9	10	●
25	26	24	●	34	●	19	15	37
3	41	●	50	39	31	●	49	46
●	●	32	47	●	33	42	●	●
30	40	●	54	22	53	●	45	48
28	29	5	●	12	●	17	18	20
●	13	7	8	●	4	14	●	●
21	●	1	52	●	51	44	●	43

219 解答

1	5	6	4	2	9	3	8	7
2	7	3	8	5	1	9	6	4
4	8	9	6	3	7	2	5	1
6	2	7	5	8	4	1	3	9
3	9	1	7	6	2	5	4	8
5	4	8	1	9	3	7	2	6
9	1	2	3	4	8	6	7	5
7	6	4	2	1	5	8	9	3
8	3	5	9	7	6	4	1	2

QUESTION

222

LEVEL ♛♛♛♛♛ TIME 分

CHECK 1 2 3 4 5 6 7 8 9

	5						1	
7			1		8			3
		6		3				
	3			2			4	
		4	9		6	2		
	8			1			7	
				9		1		
2			5		3			7
	4						9	

222 ヒント

55	●	54	26	38	22	47	●	33
●	13	7	●	35	●	40	30	●
34	12	●	39	●	16	48	25	29
43	●	14	17	●	18	42	●	20
21	11	●	●	15	●	●	4	19
44	●	2	3	●	6	37	●	41
52	10	51	36	●	23	●	46	31
●	8	9	●	50	●	32	45	●
27	●	53	28	49	1	5	●	24

220 解答

3	6	1	9	5	8	2	4	7
9	8	4	2	7	3	5	6	1
5	7	2	1	6	4	3	8	9
4	1	8	7	2	9	6	5	3
7	5	6	8	3	1	9	2	4
2	9	3	5	4	6	1	7	8
6	4	7	3	9	2	8	1	5
1	3	5	6	8	7	4	9	2
8	2	9	4	1	5	7	3	6

QUESTION

223

LEVEL ♛♛♛♛♛ TIME 分

CHECK 1 2 3 4 5 6 7 8 9

		4		2		9		
			3		1			
2				9		3		6
	1						2	
7		2				1		3
	4						9	
8		6		3				1
			6		5			
		9		1		4		

223 ヒント

6	8	●	45	●	14	●	55	54
21	23	32	●	46	●	47	17	16
●	24	31	30	●	33	●	7	●
25	●	22	36	44	3	41	●	18
●	20	●	53	19	27	●	42	●
26	●	10	1	52	2	40	●	43
●	50	●	28	●	29	38	49	●
4	39	5	●	34	●	37	11	13
9	51	●	15	●	35	●	12	48

221 解答

7	8	6	1	3	9	4	5	2
1	2	4	6	8	5	3	7	9
9	3	5	2	4	7	8	6	1
2	4	3	8	1	6	5	9	7
8	5	9	7	2	4	1	3	6
6	1	7	9	5	3	2	4	8
3	6	2	4	7	1	9	8	5
4	7	8	5	9	2	6	1	3
5	9	1	3	6	8	7	2	4

QUESTION

224

LEVEL ♛♛♛♛♛ TIME 分

CHECK 1 2 3 4 5 6 7 8 9

		5		2				
			4				6	
8		6	7		1	9		
	2	9				5		
5								1
		7				4	2	
		8	1		9	3		5
	9				8			
				6		1		

224 ヒント

45	42	●	48	●	16	46	1	6
40	44	12	●	49	17	47	●	7
●	8	●	●	15	●	●	2	4
37	●	●	27	41	20	●	52	19
●	39	21	51	32	31	10	43	●
28	38	●	26	50	18	●	●	53
11	13	●	●	25	●	●	36	●
33	●	14	23	24	●	5	35	9
34	3	22	30	●	29	●	55	54

222 解答

8	5	3	2	6	9	7	1	4
7	2	9	1	4	8	6	5	3
4	1	6	7	3	5	8	2	9
6	3	5	8	2	7	9	4	1
1	7	4	9	5	6	2	3	8
9	8	2	3	1	4	5	7	6
3	6	7	4	9	2	1	8	5
2	9	1	5	8	3	4	6	7
5	4	8	6	7	1	3	9	2

QUESTION
225

LEVEL ♛♛♛♛♛ TIME 分

CHECK 1 2 3 4 5 6 7 8 9

				9				
	9		7		2		1	
		5	1	3				
	2	9					8	
4		3				2		1
	1					9	5	
				8	3	4		
	5		6		1		3	
				2				

225 ヒント

33	41	34	30	●	49	11	39	51
12	●	42	●	14	●	10	●	52
36	43	●	●	●	50	23	40	53
7	●	●	4	1	21	19	●	6
●	18	●	32	9	31	●	20	●
48	●	47	3	17	8	●	●	5
35	25	37	29	●	●	●	45	27
55	●	16	●	22	●	24	●	38
44	13	54	15	●	28	2	46	26

223 解答

1	3	4	5	2	6	9	8	7
6	9	7	3	8	1	5	4	2
2	8	5	4	9	7	3	1	6
9	1	8	7	5	3	6	2	4
7	6	2	8	4	9	1	5	3
5	4	3	1	6	2	7	9	8
8	5	6	9	3	4	2	7	1
4	2	1	6	7	5	8	3	9
3	7	9	2	1	8	4	6	5

QUESTION

226

LEVEL ♛♛♛♛♛ TIME 分

CHECK 1 2 3 4 5 6 7 8 9

1			7					3
	2			5			6	
		7		8		5		
2			1					
	3	6				4	8	
					4			9
		5		2		1		
	1			3			4	
8					9			7

226 ヒント

●	6	17	●	8	9	24	25	●
20	●	13	30	●	4	7	●	18
46	47	●	35	●	34	●	3	19
●	50	28	●	55	54	27	37	16
53	●	●	39	51	36	●	●	2
32	52	1	33	29	●	26	38	●
12	44	●	49	●	41	●	23	22
42	●	31	48	●	40	21	●	10
●	43	11	45	5	●	15	14	●

224 解答

9	3	5	8	2	6	7	1	4
1	7	2	4	9	5	8	6	3
8	4	6	7	3	1	9	5	2
3	2	9	6	1	4	5	8	7
5	8	4	9	7	2	6	3	1
6	1	7	5	8	3	4	2	9
2	6	8	1	4	9	3	7	5
7	9	1	3	5	8	2	4	6
4	5	3	2	6	7	1	9	8

QUESTION

227

LEVEL ♛♛♛♛♛ TIME 分

CHECK 1 2 3 4 5 6 7 8 9

				1				
	8		3		5		1	
		5	6		4			
	1	6	4			9	5	
2								8
	3	8			2	7	6	
			1		6	3		
	6		8		9		7	
				2				

227 ヒント

45	40	38	4	●	20	18	29	42
44	●	30	●	48	●	32	●	41
1	31	●	●	47	●	19	43	14
12	●	●	●	21	22	●	●	5
●	9	11	13	10	2	7	6	●
8	●	●	15	16	●	●	●	3
50	51	49	●	24	●	●	33	27
26	●	34	●	23	●	36	●	28
37	39	35	17	●	25	46	52	53

225 解答

7	4	1	5	9	8	3	2	6
3	9	6	7	4	2	5	1	8
2	8	5	1	3	6	7	4	9
5	2	9	3	1	7	6	8	4
4	6	3	8	5	9	2	7	1
8	1	7	2	6	4	9	5	3
1	7	2	9	8	3	4	6	5
9	5	4	6	7	1	8	3	2
6	3	8	4	2	5	1	9	7

QUESTION

228

LEVEL ♛♛♛♛♛ TIME 分

CHECK 1 2 3 4 5 6 7 8 9

				2				
	1		6		5			
		5			1	6		
	9			1		4	8	
2			3		6			5
	3	1		4			2	
		4	2			7		
			9		3		4	
				7				

228 ヒント

33	41	32	36	●	11	50	27	28
40	●	46	●	47	●	30	49	38
45	31	●	37	48	●	●	51	39
35	●	34	14	●	2	●	●	3
●	4	16	●	10	●	8	7	●
15	●	●	13	●	12	9	●	6
20	23	●	●	25	17	●	29	55
21	52	42	●	24	●	26	●	44
53	22	43	1	●	5	19	18	54

226 解答

1	5	8	7	4	6	9	2	3
4	2	3	9	5	1	7	6	8
6	9	7	2	8	3	5	1	4
2	7	4	1	9	8	6	3	5
9	3	6	5	7	2	4	8	1
5	8	1	3	6	4	2	7	9
3	4	5	8	2	7	1	9	6
7	1	9	6	3	5	8	4	2
8	6	2	4	1	9	3	5	7

QUESTION

229

LEVEL ♛♛♛♛♛ TIME 分

CHECK 1 2 3 4 5 6 7 8 9

					5			
		1		3		5	4	
	9			4	7		6	
						8		4
	4	6				3	9	
8		7						
	6		1	8			2	
	3	9		5		7		
			2					

229 ヒント

32	51	28	18	1	●	53	49	48
17	50	●	19	●	2	●	●	52
31	●	29	20	●	●	34	●	33
6	11	7	41	9	16	●	39	●
26	●	●	40	10	15	●	●	47
●	27	●	12	8	13	46	44	43
5	●	23	●	●	36	30	●	55
3	●	●	14	●	21	●	54	45
24	25	22	●	4	37	42	35	38

227 解答

9	7	3	2	1	8	5	4	6
6	8	4	3	9	5	2	1	7
1	2	5	6	7	4	8	9	3
7	1	6	4	8	3	9	5	2
2	5	9	7	6	1	4	3	8
4	3	8	9	5	2	7	6	1
8	9	7	1	4	6	3	2	5
5	6	2	8	3	9	1	7	4
3	4	1	5	2	7	6	8	9

QUESTION
230

LEVEL ♛♛♛♛♛ TIME 分

CHECK 1 2 3 4 5 6 7 8 9

8		7						
		5	3			1	4	
3	2						9	
	5		1		6			
				9				
			5		7		2	
	7						8	3
	4	8			1	5		
						9		2

230 ヒント

●	5	●	50	49	38	2	3	23
55	56	●	●	14	15	●	●	19
●	●	4	21	6	24	13	●	22
46	●	33	●	26	●	31	16	48
17	30	27	29	●	9	35	10	45
44	53	54	●	28	●	32	●	47
42	●	43	39	25	41	7	●	●
52	●	●	40	8	●	●	11	12
20	34	51	18	37	36	●	1	●

228 解答

6	7	3	4	2	9	8	5	1
4	1	9	6	8	5	2	3	7
8	2	5	7	3	1	6	9	4
7	9	6	5	1	2	4	8	3
2	4	8	3	9	6	1	7	5
5	3	1	8	4	7	9	2	6
3	6	4	2	5	8	7	1	9
1	8	7	9	6	3	5	4	2
9	5	2	1	7	4	3	6	8

QUESTION
231

LEVEL ♛♛♛♛♛ TIME 分

CHECK 1 2 3 4 5 6 7 8 9

				3			9	
			6		5		8	2
		1				7		
	3		9		8		5	
7								9
	6		5		1		3	
		3				2		
8	4		1		3			
	5			4				

231 ヒント

36	52	14	44	●	46	28	●	27
31	51	53	●	1	●	33	●	●
32	45	●	13	54	55	●	10	34
18	●	8	●	22	●	30	●	29
●	19	5	3	6	4	16	2	●
17	●	15	●	21	●	26	●	25
20	50	●	47	38	24	●	11	40
●	●	7	●	48	●	37	9	39
23	●	49	42	●	43	41	12	35

229 解答

3	8	4	6	1	5	9	7	2
6	7	1	9	3	2	5	4	8
5	9	2	8	4	7	1	6	3
9	2	3	7	6	1	8	5	4
1	4	6	5	2	8	3	9	7
8	5	7	3	9	4	2	1	6
7	6	5	1	8	3	4	2	9
2	3	9	4	5	6	7	8	1
4	1	8	2	7	9	6	3	5

QUESTION

232

LEVEL ♛♛♛♛♛ TIME 分

CHECK 1 2 3 4 5 6 7 8 9

5	9						6	2
2				4			1	8
				6		7		
			7					
	8	1				3	9	
					6			
		7		2				
8	1			9				5
6	3						8	7

232 ヒント

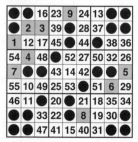

●	●	16	23	9	24	13	●	●
●	2	3	39	●	28	37	●	●
1	12	17	45	●	44	●	38	36
54	4	48	●	52	27	50	32	26
7	●	●	43	14	42	●	●	5
55	10	49	25	53	●	51	6	29
46	11	●	20	●	21	18	35	34
●	●	33	22	●	8	19	30	●
●	●	47	41	15	40	31	●	●

230 解答

8	1	7	9	6	4	2	3	5
6	9	5	3	7	2	1	4	8
3	2	4	8	1	5	7	9	6
4	5	3	1	2	6	8	7	9
7	8	2	4	9	3	6	5	1
1	6	9	5	8	7	3	2	4
2	7	1	6	5	9	4	8	3
9	4	8	2	3	1	5	6	7
5	3	6	7	4	8	9	1	2

QUESTION

233

LEVEL ♛♛♛♛♛ TIME 分

CHECK 1 2 3 4 5 6 7 8 9

			8	9				
		7		3		2		
	6				2		7	
9				5		4		
1	8		7		4		3	9
		3		1				8
	1		5				4	
		4		7		3		
				8	3			

233 ヒント

13	3	11	●	●	7	47	46	16
28	29	●	9	●	8	●	33	17
32	●	31	10	6	●	27	●	4
●	21	23	1	●	14	●	18	41
●	●	39	●	52	●	44	●	●
30	40	●	38	●	53	20	45	●
2	●	25	●	36	37	34	●	19
24	43	●	35	●	12	●	26	50
22	49	48	5	●	●	15	42	51

231 解答

5	8	6	2	3	7	1	9	4
4	7	9	6	1	5	3	8	2
3	2	1	4	8	9	7	6	5
2	3	4	9	7	8	6	5	1
7	1	5	3	6	4	8	2	9
9	6	8	5	2	1	4	3	7
1	9	3	7	5	6	2	4	8
8	4	2	1	9	3	5	7	6
6	5	7	8	4	2	9	1	3

QUESTION

234

LEVEL ♛♛♛♛♛ TIME 　分

CHECK 1 2 3 4 5 6 7 8 9

1					2			4
	7			6			3	
		4				7		
				8	1			2
	8		7		3		9	
4			5	2				
		1				8		
	9			5			1	
2			8					5

234 ヒント

●	25	37	27	8	●	40	31	●
38	●	32	21	●	35	5	●	23
26	4	●	22	36	33	●	30	39
52	28	51	49	●	●	16	15	●
11	●	3	●	10	●	9	●	17
●	1	53	●	●	48	18	41	42
50	12	●	46	29	24	●	6	44
55	●	54	7	●	45	14	●	20
●	13	19	●	2	47	34	43	●

232 解答

5	9	3	8	7	1	4	6	2
2	7	6	5	4	3	9	1	8
1	4	8	9	6	2	7	5	3
3	6	4	7	8	9	5	2	1
7	8	1	2	5	4	3	9	6
9	2	5	1	3	6	8	7	4
4	5	7	6	2	8	1	3	9
8	1	2	3	9	7	6	4	5
6	3	9	4	1	5	2	8	7

QUESTION

235

LEVEL ♛♛♛♛♛ TIME 分

CHECK 1 2 3 4 5 6 7 8 9

			8	3		1		
	1						2	
			5	6				9
7		2						
8		4		5		7		2
						5		6
5				8	7			
	4						3	
		3		1	9			

235 ヒント

31	25	32	●	●	2	●	28	34
35	●	33	13	18	17	46	●	45
52	51	22	●	●	1	30	24	●
●	5	●	42	16	11	43	23	40
●	7	●	41	●	15	●	44	●
54	53	38	10	12	14	●	19	●
●	50	36	3	●	●	48	39	29
37	●	21	8	9	6	56	●	55
49	20	●	4	●	●	47	27	26

233 解答

2	3	1	8	9	7	6	5	4
8	4	7	6	3	5	2	9	1
5	6	9	1	4	2	8	7	3
9	7	6	3	5	8	4	1	2
1	8	2	7	6	4	5	3	9
4	5	3	2	1	9	7	6	8
3	1	8	5	2	6	9	4	7
6	2	4	9	7	1	3	8	5
7	9	5	4	8	3	1	2	6

QUESTION

236

LEVEL ♛♛♛♛♛ TIME 分

CHECK 1 2 3 4 5 6 7 8 9

	2	8	9			3		
	3	6			4	1	2	
	4			2		6		
			7		5			
		2		1			3	
	6	1	2			7	5	
		5			1	2	4	

236 ヒント

43	42	27	1	7	4	55	53	54
2	●	●	●	9	11	●	22	8
37	●	●	13	12	●	●	●	38
40	●	29	21	●	46	●	48	49
25	3	32	●	17	●	16	31	5
18	41	●	15	●	47	39	●	30
26	●	●	●	36	20	●	●	34
45	44	●	19	35	●	●	●	23
6	33	24	10	28	14	52	50	51

234 解答

1	6	8	3	7	2	9	5	4
9	7	5	4	6	8	2	3	1
3	2	4	1	9	5	7	6	8
6	3	7	9	8	1	5	4	2
5	8	2	7	4	3	1	9	6
4	1	9	5	2	6	3	8	7
7	5	1	6	3	4	8	2	9
8	9	6	2	5	7	4	1	3
2	4	3	8	1	9	6	7	5

QUESTION

237

LEVEL ♛♛♛♛♛ TIME 分

CHECK 1 2 3 4 5 6 7 8 9

2								1
		8			3	4		
	5	9				8	3	
			6		2		1	
				4				
	3		8		7			
	1	5				7	4	
		2	1			3		
4								5

237 ヒント

●	5	3	48	47	24	41	33	●
36	29	●	34	38	●	●	25	42
35	●	●	7	37	43	●	●	39
56	55	12	●	16	●	26	●	14
28	2	13	22	●	21	31	19	15
27	●	20	●	23	●	9	30	11
4	●	●	40	44	52	●	●	49
53	46	●	●	8	6	●	50	45
●	54	32	17	18	51	1	10	●

235 解答

4	7	9	8	3	2	1	6	5
6	1	5	7	9	4	8	2	3
3	2	8	5	6	1	4	7	9
7	5	2	9	4	6	3	8	1
8	6	4	1	5	3	7	9	2
9	3	1	2	7	8	5	4	6
5	9	6	3	8	7	2	1	4
1	4	7	6	2	5	9	3	8
2	8	3	4	1	9	6	5	7

QUESTION
238

LEVEL ♛♛♛♛♛ TIME 分

CHECK 1 2 3 4 5 6 7 8 9

		3	8			9		
	1			2			7	
2				7				6
1			4					
	5	9				3	1	
					3			8
5				3				1
	6			9			2	
		4			2	6		

238 ヒント

9	10	●	●	7	5	●	8	3
34	●	32	38	●	37	26	●	15
●	25	33	16	●	39	1	27	●
●	4	49	●	54	44	23	51	47
11	●	●	6	14	13	●	●	12
24	22	48	55	43	●	45	50	●
●	20	21	36	●	35	52	28	●
18	●	2	42	●	29	53	●	46
30	31	●	41	40	●	●	17	19

236 解答

7	5	4	1	3	2	9	6	8
1	2	8	9	5	6	3	7	4
9	3	6	8	7	4	1	2	5
5	4	7	3	2	8	6	9	1
3	1	9	7	6	5	4	8	2
6	8	2	4	1	9	5	3	7
4	6	1	2	8	3	7	5	9
8	7	5	6	9	1	2	4	3
2	9	3	5	4	7	8	1	6

QUESTION

239

LEVEL TIME 分

CHECK 1 2 3 4 5 6 7 8 9

							7	1
		1	5			2		4
	2				8	3	5	
	8			3		1		
			8		7			
		2		6			3	
	5	4	1				9	
3		7			4	8		
6	9							

239 ヒント

10	28	11	26	34	35	21	●	●
33	27	●	●	39	29	●	9	●
32	●	20	38	1	●	●	●	22
48	●	19	44	●	51	●	18	16
4	36	14	●	50	●	24	42	41
49	15	●	37	●	2	43	●	12
6	●	●	●	13	25	17	●	31
●	3	●	53	45	●	●	23	47
●	●	7	30	40	52	8	5	46

237 解答

2	4	3	9	8	5	6	7	1
1	6	8	7	2	3	4	5	9
7	5	9	4	1	6	8	3	2
9	8	4	6	3	2	5	1	7
6	2	7	5	4	1	9	8	3
5	3	1	8	9	7	2	6	4
3	1	5	2	6	9	7	4	8
8	7	2	1	5	4	3	9	6
4	9	6	3	7	8	1	2	5

QUESTION
240

LEVEL ♛♛♛♛♛ TIME 分

CHECK 1 2 3 4 5 6 7 8 9

		4						
	6		7				8	
3			5	2	4			
	9	2	8			7		
		7				1		
		8			1	5	9	
			4	3	5			9
	5				7		2	
						3		

240 ヒント

27	28	●	48	49	50	25	38	41
26	●	4	●	45	39	24	●	42
●	14	20	●	●	●	21	29	22
1	●	●	●	5	15	●	36	37
3	10	●	54	8	55	●	16	11
6	9	●	13	7	●	●	●	12
43	35	18	●	●	●	17	33	●
44	●	2	46	47	●	23	●	32
40	34	19	51	53	52	●	31	30

238 解答

6	7	3	8	4	1	9	5	2
9	1	8	5	2	6	4	7	3
2	4	5	3	7	9	1	8	6
1	3	6	4	8	5	2	9	7
8	5	9	2	6	7	3	1	4
4	2	7	9	1	3	5	6	8
5	9	2	6	3	8	7	4	1
3	6	1	7	9	4	8	2	5
7	8	4	1	5	2	6	3	9

QUESTION

241

LEVEL 👑👑👑👑👑 TIME 分

CHECK 1 2 3 4 5 6 7 8 9

	8						4	
1	7						2	9
		4		2		3		
			7	9				
		6	3		2	1		
				8	1			
		3		4		5		
5	1						3	8
	2						1	

241 ヒント

7	●	8	49	3	21	39	●	18
●	●	13	29	35	36	40	●	●
45	46	●	48	●	20	●	22	4
51	33	1	●	●	28	54	41	31
53	15	●	●	14	●	●	50	16
52	32	47	27	●	●	55	34	30
42	43	●	2	●	12	●	24	6
●	●	44	5	25	26	10	●	●
9	●	11	19	37	38	23	●	17

239 解答

8	3	5	6	4	2	9	7	1
7	6	1	5	9	3	2	8	4
4	2	9	7	1	8	3	5	6
5	8	6	2	3	9	1	4	7
1	4	3	8	5	7	6	2	9
9	7	2	4	6	1	5	3	8
2	5	4	1	8	6	7	9	3
3	1	7	9	2	4	8	6	5
6	9	8	3	7	5	4	1	2

QUESTION

242

LEVEL ♛♛♛♛♛ TIME 分

CHECK 1 2 3 4 5 6 7 8 9

		6	1	7	3			
	7	2		6		4		
	8				4		2	
	2	4				6	5	
	1		5				7	
		9		4		7	1	
			3	8	6	2		

242 ヒント

54	40	53	1	12	13	47	7	5
16	55	●	●	●	●	33	18	6
34	●	●	21	●	22	●	15	46
36	●	35	3	49	●	45	●	19
17	●	●	23	48	24	●	●	44
4	●	8	●	14	20	26	●	2
39	38	●	9	●	11	●	●	43
51	31	50	●	●	●	●	29	32
10	37	52	25	27	28	42	30	41

240 解答

9	7	4	1	6	8	2	3	5
2	6	5	7	9	3	4	8	1
3	8	1	5	2	4	9	7	6
1	9	2	8	5	6	7	4	3
5	3	7	2	4	9	1	6	8
6	4	8	3	7	1	5	9	2
7	2	6	4	3	5	8	1	9
8	5	3	9	1	7	6	2	4
4	1	9	6	8	2	3	5	7

QUESTION

243

LEVEL ♛♛♛♛♛ TIME 分

CHECK 1 2 3 4 5 6 7 8 9

		1		2				
	4						2	
7		9		6	1			
				5		1		
3		8	4		9	2		5
		2		3				
			5	4		8		3
	6						4	
				9		7		

243 ヒント

12	16	●	50	●	4	14	45	46
17	●	15	49	41	5	53	●	1
●	2	●	48	●	●	51	27	52
33	43	32	36	●	37	●	3	44
●	42	●	●	20	●	●	6	●
21	13	●	34	●	38	54	47	55
10	22	11	●	●	9	●	26	●
31	●	29	24	19	35	25	●	8
30	18	28	39	●	40	●	23	7

241 解答

3	8	2	9	1	7	6	4	5
1	7	5	4	6	3	8	2	9
6	9	4	8	2	5	3	7	1
8	5	1	7	9	4	2	6	3
9	4	6	3	5	2	1	8	7
2	3	7	6	8	1	9	5	4
7	6	3	1	4	8	5	9	2
5	1	9	2	7	6	4	3	8
4	2	8	5	3	9	7	1	6

QUESTION

244

LEVEL ♛♛♛♛♛ TIME 分

CHECK 1 2 3 4 5 6 7 8 9

				1				7
		4	9		2			
	8	5				6		
	2		1				9	
6				3				2
	5				4		3	
		1				2	4	
			3		7	8		
3				2				

244 ヒント

40	7	19	53	●	54	8	38	●
25	12	●	●	20	●	6	41	44
39	●	●	24	16	5	●	37	45
47	●	3	●	31	21	28	●	9
●	10	30	55	●	56	27	26	●
11	●	48	2	46	●	29	●	22
17	43	●	23	52	51	●	●	4
13	50	14	●	18	●	●	34	35
●	42	49	15	●	1	36	32	33

242 解答

8	3	1	4	5	2	9	6	7
4	9	6	1	7	3	5	8	2
5	7	2	9	6	8	4	3	1
7	8	5	6	3	4	1	2	9
9	2	4	8	1	7	6	5	3
6	1	3	5	2	9	8	7	4
3	6	9	2	4	5	7	1	8
1	4	7	3	8	6	2	9	5
2	5	8	7	9	1	3	4	6

QUESTION

245

LEVEL ♛♛♛♛♛ TIME 分

CHECK 1 2 3 4 5 6 7 8 9

		6						
	3		9		7	8		
7		5				6	3	
	5			9			6	
			5		1			
	1			4			7	
	8	4				3		1
		9	2		4		8	
						2		

245 ヒント

4	37	●	42	40	41	29	5	11
22	●	23	●	3	●	●	17	36
●	38	●	30	31	33	●	●	35
26	●	54	53	●	44	1	●	28
7	21	55	●	52	●	39	19	46
8	●	45	49	●	43	9	●	47
2	●	●	51	48	50	●	15	●
24	12	●	●	27	●	10	●	16
6	20	25	32	34	18	●	14	13

243 解答

5	3	1	9	2	4	6	8	7
8	4	6	3	7	5	9	2	1
7	2	9	8	6	1	3	5	4
6	9	4	7	5	2	1	3	8
3	7	8	4	1	9	2	6	5
1	5	2	6	3	8	4	7	9
2	1	7	5	4	6	8	9	3
9	6	3	1	8	7	5	4	2
4	8	5	2	9	3	7	1	6

QUESTION

246

LEVEL ♛♛♛♛♛ TIME 分

CHECK 1 2 3 4 5 6 7 8 9

1								2
	9	4				6	8	
	5			2			3	
			4	6				
		1	2		7	4		
				5	8			
	8			7			4	
	7	3				5	1	
5								9

246 ヒント

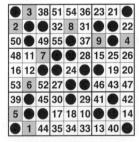

●	3	38	51	54	36	23	21	●
2	●	●	32	8	31	●	●	22
50	●	49	55	●	37	9	●	4
48	11	7	●	●	28	15	25	26
16	12	●	●	24	●	●	19	20
53	6	52	27	●	●	46	43	47
39	●	45	30	●	29	41	●	42
5	●	●	17	18	10	●	●	14
●	1	44	35	34	33	13	40	●

244 解答

9	3	6	8	1	5	4	2	7
7	1	4	9	6	2	3	5	8
2	8	5	7	4	3	6	1	9
8	2	3	1	7	6	5	9	4
6	4	7	5	3	9	1	8	2
1	5	9	2	8	4	7	3	6
5	7	1	6	9	8	2	4	3
4	9	2	3	5	7	8	6	1
3	6	8	4	2	1	9	7	5

QUESTION

247

LEVEL ♛♛♛♛♛ TIME 分

CHECK 1 2 3 4 5 6 7 8 9

			1					2
			9	5	8			
		3		2		9		
6	7		4				9	
	3	5				1	2	
	1				5		6	4
		1		4		3		
			6	8	1			
2					9			

247 ヒント

49	50	51	●	10	8	39	42	●
31	17	40	●	●	●	32	7	28
29	33	●	11	●	9	●	47	46
●	●	26	●	1	15	6	●	3
5	●	●	21	25	12	●	●	23
27	●	16	20	24	●	22	●	●
52	53	●	14	●	13	●	44	35
4	48	36	●	●	●	2	38	43
●	41	34	18	19	●	37	30	45

245 解答

8	9	6	3	2	5	4	1	7
4	3	1	9	6	7	8	5	2
7	2	5	4	1	8	6	3	9
3	5	7	8	9	2	1	6	4
6	4	8	5	7	1	9	2	3
9	1	2	6	4	3	5	7	8
2	8	4	7	5	6	3	9	1
1	6	9	2	3	4	7	8	5
5	7	3	1	8	9	2	4	6

QUESTION

248

LEVEL TIME 分

CHECK 1 2 3 4 5 6 7 8 9

						5		
		2	6		9	4		
	1			3			2	9
	6			4			7	
		4	1		3	2		
	2			6			1	
1	9			8			4	
		8	5		2	1		
		3						

248 ヒント

19	39	23	44	3	15	●	40	37
25	38	●	●	14	●	●	43	16
18	●	24	45	●	33	42	●	●
51	●	1	2	●	12	47	●	21
50	20	●	●	27	●	●	48	41
49	●	26	28	●	13	46	●	7
●	●	8	6	●	29	34	●	5
9	10	●	●	32	●	●	36	35
4	11	●	31	17	30	53	22	52

246 解答

1	3	6	7	8	4	9	5	2
2	9	4	3	1	5	6	8	7
7	5	8	9	2	6	1	3	4
3	2	5	4	6	9	8	7	1
8	6	1	2	3	7	4	9	5
9	4	7	1	5	8	3	2	6
6	8	9	5	7	1	2	4	3
4	7	3	6	9	2	5	1	8
5	1	2	8	4	3	7	6	9

QUESTION

249

LEVEL ♛♛♛♛♛ TIME 分

CHECK 1 2 3 4 5 6 7 8 9

						2		
	6			1			5	
		5	8		3			1
		7	3	2		5		
	4		9		1		8	
		6		8	7	1		
4			7		2	6		
	3			6			4	
		1						

249 ヒント

31	30	48	8	50	9	●	40	47
34	●	49	3	●	51	46	●	35
20	18	●	●	26	●	27	11	●
33	32	●	●	●	4	●	15	7
17	●	19	●	6	●	14	●	12
22	21	●	5	●	●	●	38	39
●	23	25	●	42	●	●	2	44
28	●	16	1	●	43	45	●	24
13	29	●	10	53	52	41	36	37

247 解答

5	8	9	1	6	3	4	7	2
7	2	4	9	5	8	6	3	1
1	6	3	7	2	4	9	8	5
6	7	8	4	1	2	5	9	3
4	3	5	8	9	6	1	2	7
9	1	2	3	7	5	8	6	4
8	9	1	2	4	7	3	5	6
3	5	7	6	8	1	2	4	9
2	4	6	5	3	9	7	1	8

QUESTION
250

LEVEL ♛♛♛♛♛ TIME 分

CHECK 1 2 3 4 5 6 7 8 9

		8	6		1	9		
	1			9	2		5	
	5					1	8	
		3		7		6		
	9	7					2	
	6		2	8			1	
		2	7		4	3		

250 ヒント

41	22	33	36	18	3	38	10	1
40	15	●	●	34	●	●	11	37
19	●	21	35	●	●	12	●	39
53	●	32	17	2	26	●	●	4
49	9	●	47	●	52	●	23	24
54	●	●	48	43	51	25	●	5
14	●	29	●	●	16	44	●	50
31	8	●	●	7	●	●	28	55
30	20	6	27	46	45	56	13	42

248 解答

4	8	9	7	2	1	5	6	3
7	3	2	6	5	9	4	8	1
5	1	6	8	3	4	7	2	9
9	6	1	2	4	8	3	7	5
8	5	4	1	7	3	2	9	6
3	2	7	9	6	5	8	1	4
1	9	5	3	8	7	6	4	2
6	4	8	5	9	2	1	3	7
2	7	3	4	1	6	9	5	8

QUESTION

251

LEVEL ♛♛♛♛♛ TIME 分

CHECK 1 2 3 4 5 6 7 8 9

	3						6	
4				1				5
		1	4	9				
		5	7		4			
	8	4				3	5	
			8		9	2		
				7	1	9		
3				2				8
	1						2	

251 ヒント

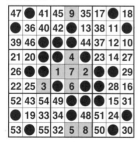

47	●	41	45	9	35	17	●	18
●	36	40	42	●	13	38	11	●
39	46	●	●	●	44	37	12	10
21	20	●	●	4	●	23	14	27
26	●	●	1	7	2	●	●	29
22	25	3	●	6	●	●	28	16
52	43	54	49	●	●	●	15	31
●	19	33	34	●	48	51	24	●
53	●	55	32	5	8	50	●	30

249 解答

1	7	8	6	4	5	2	3	9
3	6	4	2	1	9	8	5	7
9	2	5	8	7	3	4	6	1
8	1	7	3	2	6	5	9	4
2	4	3	9	5	1	7	8	6
5	9	6	4	8	7	1	2	3
4	5	9	7	3	2	6	1	8
7	3	2	1	6	8	9	4	5
6	8	1	5	9	4	3	7	2

QUESTION

252

LEVEL ♛♛♛♛♛ TIME 分

CHECK 1 2 3 4 5 6 7 8 9

			3	5	4	7		
		5		7		1	3	
	4		2				1	
	7	6				3	9	
	2				1		8	
	9	4		1		5		
		1	4	6	3			

252 ヒント

42	21	44	1	55	54	33	8	52
26	3	27	●	●	●	●	19	25
43	24	●	35	●	45	●	●	53
28	●	29	●	31	13	10	●	16
2	●	●	39	7	38	●	●	5
17	●	30	11	32	●	15	●	14
50	●	●	40	●	47	●	12	6
51	20	●	●	●	●	48	18	34
22	23	41	37	46	36	49	9	4

250 解答

9	4	5	8	3	7	2	6	1
2	7	8	6	5	1	9	3	4
3	1	6	4	9	2	7	5	8
6	5	4	3	2	9	1	8	7
1	2	3	5	7	8	6	4	9
8	9	7	1	4	6	5	2	3
7	6	9	2	8	3	4	1	5
5	8	2	7	1	4	3	9	6
4	3	1	9	6	5	8	7	2

QUESTION

253

LEVEL ♛♛♛♛♛ TIME 分

CHECK 1 2 3 4 5 6 7 8 9

				4		2		
	2		6		9		1	
			5		1			4
	1	4				5	2	
7								3
	6	8				9	7	
1			8		4			
	3		2		6		9	
		9		7				

253 ヒント

37	53	1	18	●	29	●	47	8
3	●	49	●	30	●	42	●	48
20	52	43	●	2	●	41	38	●
21	●	●	16	32	17	●	●	35
●	19	23	13	31	33	34	6	●
24	●	●	7	28	25	●	●	10
●	50	36	●	9	●	46	44	27
22	●	51	●	12	●	5	●	45
26	4	●	15	●	14	11	40	39

251 解答

9	3	2	5	8	7	4	6	1
4	7	6	2	1	3	8	9	5
8	5	1	4	9	6	7	3	2
2	9	5	7	3	4	1	8	6
7	8	4	1	6	2	3	5	9
1	6	3	8	5	9	2	7	4
5	2	8	6	7	1	9	4	3
3	4	7	9	2	5	6	1	8
6	1	9	3	4	8	5	2	7

QUESTION

254

LEVEL ♛♛♛♛♛ TIME 分

CHECK 1 2 3 4 5 6 7 8 9

				7				2
		9				5	3	
	4			9		1	8	
				4	9			
2		1	6		8	3		4
			7	2				
	8	7		6			2	
	1	2				8		
4				1				

254 ヒント

27	37	30	23	●	32	16	17	●
38	2	●	26	9	20	●	●	35
34	●	31	7	●	33	●	●	36
43	40	41	24	●	●	3	28	52
●	51	●	●	13	●	●	39	●
50	29	4	●	●	25	15	49	53
12	●	●	21	●	22	18	●	1
45	●	●	19	10	8	●	46	47
●	42	44	5	●	6	14	48	11

252 解答

7	3	2	1	8	6	9	5	4
6	1	9	3	5	4	7	2	8
4	8	5	9	7	2	1	3	6
9	4	8	2	3	7	6	1	5
1	7	6	8	4	5	3	9	2
5	2	3	6	9	1	4	8	7
2	9	4	7	1	8	5	6	3
8	5	1	4	6	3	2	7	9
3	6	7	5	2	9	8	4	1

QUESTION
255

LEVEL ♛♛♛♛♛ TIME 分

CHECK 1 2 3 4 5 6 7 8 9

	2				9			
1	7						3	
		3		2		1		
				5				6
		7	8	9	3	2		
5				7				
		1		6		9		
	8						7	3
			5				6	

255 ヒント

49	●	13	22	23	●	52	38	8
●	●	7	54	31	15	51	●	2
39	50	●	53	●	30	●	36	37
32	20	41	43	●	34	4	46	●
47	45	●	●	●	●	●	55	35
●	48	42	44	●	33	5	56	40
18	12	●	29	●	28	●	3	25
9	●	11	6	27	24	14	●	●
16	17	19	●	21	10	26	●	1

253 解答

6	8	1	7	4	3	2	5	9
4	2	5	6	8	9	3	1	7
9	7	3	5	2	1	8	6	4
3	1	4	9	6	7	5	2	8
7	9	2	1	5	8	6	4	3
5	6	8	4	3	2	9	7	1
1	5	6	8	9	4	7	3	2
8	3	7	2	1	6	4	9	5
2	4	9	3	7	5	1	8	6

QUESTION

256

LEVEL ♛♛♛♛♛ TIME 分

CHECK 1 2 3 4 5 6 7 8 9

1								4
	6						3	
			4	3	7			
		7	5	1		8		
		6	3		2	1		
		2		9	8	4		
			1	8	9			
	4						2	
3								9

256 ヒント

●	51	5	19	28	29	48	25	●
45	●	10	24	27	1	47	●	18
46	26	50	●	●	●	49	22	36
53	4	●	●	●	32	●	39	3
33	52	●	●	38	●	●	43	17
11	2	●	37	●	●	●	42	6
14	15	12	●	●	●	8	9	16
54	●	55	41	40	7	34	●	21
●	44	23	13	31	30	35	20	●

254 解答

1	6	8	5	7	3	9	4	2
7	2	9	1	8	4	5	3	6
5	4	3	2	9	6	1	8	7
6	7	5	3	4	9	2	1	8
2	9	1	6	5	8	3	7	4
8	3	4	7	2	1	6	5	9
3	8	7	9	6	5	4	2	1
9	1	2	4	3	7	8	6	5
4	5	6	8	1	2	7	9	3

QUESTION
257

LEVEL ♛♛♛♛♛ TIME 分

CHECK 1 2 3 4 5 6 7 8 9

		7		9		4		
	4		8		5			
3				6				8
	1				3		7	
6		9				2		5
	7		2				4	
4				3				7
			1		4		2	
		5		2		1		

257 ヒント

38	35	●	3	●	11	●	32	25
26	●	13	●	21	●	19	34	12
●	39	10	4	●	22	20	33	●
6	●	5	49	15	●	18	●	46
●	28	●	14	7	40	●	24	●
9	●	29	●	23	48	47	●	27
●	2	1	16	●	51	45	52	●
37	43	30	●	41	●	17	●	53
44	42	●	50	●	36	●	31	8

255 解答

4	2	5	3	1	9	6	8	7
1	7	9	6	8	5	4	3	2
8	6	3	4	2	7	1	5	9
9	3	8	2	5	4	7	1	6
6	1	7	8	9	3	2	4	5
5	4	2	1	7	6	3	9	8
3	5	1	7	6	8	9	2	4
2	8	6	9	4	1	5	7	3
7	9	4	5	3	2	8	6	1

QUESTION

258

LEVEL ♛♛♛♛♛ TIME 分

CHECK 1 2 3 4 5 6 7 8 9

				3				6
	1		8		7		4	
		6			9	5		
	6		2			4	5	
9								1
	4	3			8		9	
		4	9			1		
	5		4		1		2	
7				2				

258 ヒント

4	48	49	9	●	2	25	11	●
32	●	18	●	8	●	39	●	40
24	30	●	10	3	●	●	33	29
15	●	46	●	13	22	●	●	42
●	47	19	44	16	5	34	41	●
17	●	●	43	14	●	37	●	38
31	35	●	●	27	20	●	28	7
23	●	50	●	26	●	53	●	36
●	51	1	21	●	12	45	52	6

256 解答

1	9	3	8	2	6	7	5	4
7	6	4	9	5	1	2	3	8
2	5	8	4	3	7	9	1	6
9	3	7	5	1	4	8	6	2
4	8	6	3	7	2	1	9	5
5	1	2	6	9	8	4	7	3
6	2	5	1	8	9	3	4	7
8	4	9	7	6	3	5	2	1
3	7	1	2	4	5	6	8	9

QUESTION
259

LEVEL ♛♛♛♛♛ TIME 分

CHECK 1 2 3 4 5 6 7 8 9

	4			8			7	5
7				2				4
		1				8		
			3		4			
1	5						4	2
			9		2			
		6				1		
4				3				8
8	7			6			5	

259 ヒント

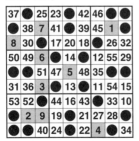

37	●	25	23	●	42	46	●	●
●	38	7	41	●	39	45	1	●
8	30	●	17	20	18	●	26	32
50	49	6	●	14	●	12	55	29
●	●	51	47	5	48	35	●	●
31	36	3	●	13	●	11	54	15
53	52	●	44	16	43	●	33	10
●	2	9	19	●	21	27	28	●
●	●	40	24	●	22	4	●	34

257 解答

8	5	7	3	9	2	4	6	1
1	4	6	8	7	5	3	9	2
3	9	2	4	6	1	7	5	8
2	1	4	9	5	3	8	7	6
6	3	9	7	4	8	2	1	5
5	7	8	2	1	6	9	4	3
4	2	1	5	3	9	6	8	7
7	6	3	1	8	4	5	2	9
9	8	5	6	2	7	1	3	4

QUESTION

260

LEVEL ♛♛♛♛♛ TIME 分

CHECK 1 2 3 4 5 6 7 8 9

					8			9
	7		2			3	1	
			7	1			5	
	9	2						6
		8				5		
1						4	2	
	2			6	3			
	8	5			2		4	
3			1					

260 ヒント

37	2	35	42	43	●	39	23	●
50	●	41	●	36	55	●	●	53
38	47	51	●	●	54	40	●	52
30	●	●	29	27	7	25	9	●
28	46	●	44	3	26	●	8	6
●	10	45	31	49	48	●	●	24
21	●	1	15	●	●	22	19	18
11	●	●	13	12	●	5	●	4
●	14	20	●	16	17	32	34	33

258 解答

4	7	9	5	3	2	8	1	6
3	1	5	8	6	7	2	4	9
8	2	6	1	4	9	5	3	7
1	6	7	2	9	3	4	5	8
9	8	2	7	5	4	3	6	1
5	4	3	6	1	8	7	9	2
2	3	4	9	8	6	1	7	5
6	5	8	4	7	1	9	2	3
7	9	1	3	2	5	6	8	4

QUESTION

261

LEVEL ♛♛ ♛♛ ♛♛ ♛♛ ♛♛ TIME 分

CHECK 1 2 3 4 5 6 7 8 9

	7			8		4	5	
			2	3	6		8	
		3			4	1		
	2	4				7	3	
		5	1			2		
	6		5	4	2			
	1	8		6			2	

261 ヒント

13	19	14	4	36	35	21	16	15
30	●	29	8	●	9	●	●	20
45	44	7	●	●	●	11	●	6
33	51	●	48	2	●	●	27	5
1	●	●	32	49	37	●	●	52
28	50	●	●	34	3	●	26	53
18	●	38	●	●	●	12	22	17
43	●	●	39	●	55	41	●	25
47	46	31	40	10	54	42	23	24

259 解答

3	4	2	1	8	6	9	7	5
7	9	8	5	2	3	6	1	4
5	6	1	4	9	7	8	2	3
2	8	7	3	1	4	5	9	6
1	5	9	6	7	8	3	4	2
6	3	4	9	5	2	7	8	1
9	2	6	8	4	5	1	3	7
4	1	5	7	3	9	2	6	8
8	7	3	2	6	1	4	5	9

267

QUESTION

262

LEVEL ♛♛♛♛♛ TIME 分

CHECK 1 2 3 4 5 6 7 8 9

1								6
		4		5		9		
	2		6		4		1	
		2		1		8		
	8		2		3		5	
		1		4		3		
	3		1		7		8	
		5		2		1		
7								9

262 ヒント

●	15	51	13	42	4	40	38	●
25	50	●	43	●	1	●	46	45
14	●	44	●	41	●	39	●	47
6	53	●	17	●	23	●	34	35
11	●	52	●	20	●	10	●	2
16	24	●	21	●	22	●	49	48
5	●	18	●	28	●	36	●	37
27	12	●	32	●	19	●	29	30
●	3	26	8	33	9	7	31	●

260 解答

5	1	4	6	3	8	2	7	9
8	7	6	2	5	9	3	1	4
2	3	9	7	1	4	6	5	8
7	9	2	5	4	1	8	3	6
4	6	8	3	2	7	5	9	1
1	5	3	8	9	6	4	2	7
9	2	1	4	6	3	7	8	5
6	8	5	9	7	2	1	4	3
3	4	7	1	8	5	9	6	2

QUESTION

263

LEVEL ♛♛♛♛♛ TIME 分

CHECK 1 2 3 4 5 6 7 8 9

	1							
8				7		6		
		4		8	2		7	
			1		8	2		
	9	5				1	3	
		2	3		5			
	5		2	3		8		
		1		4				9
							2	

263 ヒント

37	●	52	24	14	7	47	10	35
●	45	53	25	●	1	●	46	36
15	23	●	26	●	●	30	●	2
44	42	43	●	50	●	●	55	48
19	●	●	18	6	17	●	●	9
3	8	●	●	51	●	54	32	49
40	●	22	●	●	28	●	5	33
39	38	●	12	●	21	16	20	●
29	41	11	13	4	27	34	●	31

261 解答

8	3	9	4	5	7	6	1	2
2	7	6	9	8	1	4	5	3
4	5	1	2	3	6	9	8	7
7	9	3	8	2	4	1	6	5
1	2	4	6	9	5	7	3	8
6	8	5	1	7	3	2	4	9
3	6	7	5	4	2	8	9	1
5	1	8	7	6	9	3	2	4
9	4	2	3	1	8	5	7	6

QUESTION

264

LEVEL ♛♛♛♛♛ TIME 分

CHECK 1 2 3 4 5 6 7 8 9

				8				
		7	5	2		8		
	2		7		6		1	
	4	5				2		
2	8						6	1
		1				9	3	
	1		3		8		2	
		8		4	1	6		
				7				

264 ヒント

27	23	24	1	●	32	30	39	5
2	33	●	●	●	28	●	40	9
10	●	34	●	31	●	29	●	20
51	●	●	11	3	35	●	42	41
●	●	37	16	36	25	18	●	●
49	50	●	15	19	8	●	●	17
22	●	26	●	12	●	43	●	46
52	53	●	7	●	●	●	21	45
47	48	6	14	●	13	4	38	44

262 解答

1	5	8	9	3	2	7	4	6
6	7	4	8	5	1	9	2	3
9	2	3	6	7	4	5	1	8
3	9	2	5	1	6	8	7	4
4	8	7	2	9	3	6	5	1
5	6	1	7	4	8	3	9	2
2	3	9	1	6	7	4	8	5
8	4	5	3	2	9	1	6	7
7	1	6	4	8	5	2	3	9

QUESTION
265

LEVEL ♛♛♛♛♛ TIME 分

CHECK 1 2 3 4 5 6 7 8 9

						1		
	9	4			7			
	6	5		1				4
			8	3			4	
		2	9		1	6		
	3			4	5			
2				5		8	7	
			3			9	6	
		3						

265 ヒント

38	2	40	15	43	41	●	47	46
1	●	●	16	44	●	6	54	50
39	●	●	8	●	45	17	55	●
28	33	27	●	●	9	7	●	35
20	22	●	●	11	●	●	4	18
32	●	31	10	●	●	14	25	34
●	19	29	13	●	42	●	●	3
23	37	36	●	51	21	●	●	24
30	26	●	12	53	52	5	49	48

263 解答

2	1	7	6	5	3	9	8	4
8	3	9	4	7	1	6	5	2
5	6	4	9	8	2	3	7	1
7	4	3	1	6	8	2	9	5
6	9	5	7	2	4	1	3	8
1	8	2	3	9	5	7	4	6
4	5	6	2	3	9	8	1	7
3	2	1	8	4	7	5	6	9
9	7	8	5	1	6	4	2	3

QUESTION

266

LEVEL ♛♛♛♛♛ TIME 分

CHECK 1 2 3 4 5 6 7 8 9

	8						9	
6					4			5
		5	9	1		3		
		9		8			4	
		8	7		3	9		
	6			5		1		
		7		4	6	2		
9			1					4
	5						3	

266 ヒント

53	●	52	38	46	15	2	●	21
●	4	22	27	47	●	33	44	●
48	24	●	●	●	28	●	16	45
10	51	●	36	●	1	39	●	35
23	19	●	●	37	●	●	11	43
50	●	49	3	●	5	●	42	34
25	26	●	13	●	●	●	20	7
●	17	9	●	14	31	12	32	●
18	●	8	29	6	30	41	●	40

264 解答

4	5	6	1	8	9	3	7	2
1	3	7	5	2	4	8	9	6
8	2	9	7	3	6	4	1	5
9	4	5	6	1	3	2	8	7
2	8	3	4	9	7	5	6	1
6	7	1	8	5	2	9	3	4
5	1	4	3	6	8	7	2	9
7	9	8	2	4	1	6	5	3
3	6	2	9	7	5	1	4	8

QUESTION
267

LEVEL　　TIME　　分

CHECK 1 2 3 4 5 6 7 8 9

						8		
	9			7	3		1	
		1	8	6				2
		4					6	
	3	6				1	7	
	1					4		
8				3	4	9		
	4		6	1			2	
		3						

267 ヒント

51	18	27	35	34	14	●	55	54
52	●	5	9	●	●	25	●	49
50	23	●	●	●	19	20	53	●
41	6	●	13	39	12	3	●	16
29	●	●	33	32	38	●	●	46
28	●	42	15	30	4	●	45	40
●	7	10	11	●	●	●	8	2
44	●	43	●	●	24	17	●	22
1	21	●	37	36	31	26	48	47

265 解答

7	2	8	4	9	3	1	5	6
1	9	4	5	6	7	3	8	2
3	6	5	2	1	8	7	9	4
6	7	1	8	3	2	5	4	9
4	5	2	9	7	1	6	3	8
8	3	9	6	4	5	2	1	7
2	4	6	1	5	9	8	7	3
5	8	7	3	2	4	9	6	1
9	1	3	7	8	6	4	2	5

QUESTION

268

LEVEL ♛♛♛♛♛ TIME 分

CHECK 1 2 3 4 5 6 7 8 9

		9				1		
	4			6			2	
5			8			4		6
		1		7				
	3		9		5		6	
				3		2		
7		6			2			1
	1			4			5	
		5				3		

268 ヒント

33	40	●	14	23	35	●	31	16
1	●	32	15	●	34	53	●	52
●	41	38	●	22	4	●	25	●
42	43	●	6	●	27	17	30	26
24	●	50	●	3	●	49	●	47
29	18	51	11	●	28	●	2	48
●	45	●	12	13	●	46	8	●
44	●	36	19	●	21	9	●	39
7	37	●	5	20	10	●	54	55

266 解答

7	8	3	6	2	5	4	9	1
6	9	1	3	7	4	8	2	5
2	4	5	9	1	8	3	6	7
5	7	9	2	8	1	6	4	3
4	1	8	7	6	3	9	5	2
3	6	2	4	5	9	1	7	8
8	3	7	5	4	6	2	1	9
9	2	6	1	3	7	5	8	4
1	5	4	8	9	2	7	3	6

QUESTION

269

LEVEL ♛♛♛♛♛ TIME 分

CHECK 1 2 3 4 5 6 7 8 9

		9	7			1		
	2			3			6	
6		7						8
9				2	7			
	7		5		3		2	
			1	4				5
5						3		1
	3			5			8	
		6			2	4		

269 ヒント

7	22	●	●	25	24	●	13	3
17	●	38	31	●	37	41	●	48
●	39	●	2	36	18	49	8	●
●	43	42	26	●	●	32	1	9
21	●	20	●	30	●	27	●	12
6	19	10	●	●	29	52	53	●
●	45	5	46	33	28	●	50	●
16	●	44	47	●	35	4	●	15
23	40	●	11	34	●	●	14	51

267 解答

3	2	7	5	4	1	8	9	6
6	9	8	2	7	3	5	1	4
4	5	1	8	6	9	7	3	2
5	8	4	1	9	7	2	6	3
2	3	6	4	8	5	1	7	9
7	1	9	3	2	6	4	8	5
8	6	2	7	3	4	9	5	1
9	4	5	6	1	8	3	2	7
1	7	3	9	5	2	6	4	8

QUESTION
270

LEVEL ♛♛♛♛♛ TIME 分

CHECK 1 2 3 4 5 6 7 8 9

	9						1	
3			6					4
		4	1		3	5		
	3	1	8			6		
		8			1	3	9	
		9	3		8	4		
6					5			2
	2						3	

270 ヒント

18	●	6	36	28	35	33	●	3
●	1	17	●	20	41	34	49	●
9	19	●	●	40	●	●	8	50
44	●	●	●	43	39	●	11	23
45	25	10	21	4	42	53	13	52
31	22	●	12	26	●	●	●	32
7	16	●	●	2	●	●	14	15
●	30	5	48	38	●	51	46	●
29	●	24	47	37	27	55	●	54

268 解答

3	6	9	4	2	7	1	8	5
1	4	8	5	6	3	9	2	7
5	7	2	8	9	1	4	3	6
6	8	1	2	7	4	5	9	3
2	3	4	9	1	5	7	6	8
9	5	7	6	3	8	2	1	4
7	9	6	3	5	2	8	4	1
8	1	3	7	4	9	6	5	2
4	2	5	1	8	6	3	7	9

QUESTION

271

LEVEL ♛♛♛♛♛ TIME 分

CHECK 1 2 3 4 5 6 7 8 9

								5
				6			2	
			3	4	5	6		
		7		1		9		
	1	9	7		2	3	5	
		4		3		8		
		5	1	9	7			
	3			5				
8								

271 ヒント

44	45	16	5	4	22	37	18	●
39	38	17	24	●	23	46	●	21
43	42	20	●	●	●	●	54	55
1	7	●	10	●	11	●	13	9
14	●	●	●	8	●	●	●	12
41	40	●	28	●	29	●	52	53
35	15	●	●	●	●	33	31	19
48	●	32	25	●	27	50	36	49
●	47	34	26	6	2	3	51	30

269 解答

3	8	9	7	6	5	1	4	2
4	2	1	8	3	9	5	6	7
6	5	7	2	1	4	9	3	8
9	4	5	6	2	7	8	1	3
1	7	8	5	9	3	6	2	4
2	6	3	1	4	8	7	9	5
5	9	2	4	8	6	3	7	1
7	3	4	9	5	1	2	8	6
8	1	6	3	7	2	4	5	9

QUESTION

272

LEVEL ♛♛♛♛♛ TIME 分

CHECK 1 2 3 4 5 6 7 8 9

				7				
		8				7	9	
	2				5	6	1	
			5		3	4		
9				8				1
		6	4		2			
	6	1	2				4	
	5	9				2		
				4				

272 ヒント

33	5	22	35	●	39	24	16	15
25	34	●	38	2	14	●	●	23
10	●	8	6	11	●	●	●	7
36	48	47	●	44	●	●	41	17
●	9	18	43	●	40	31	26	●
20	21	●	●	37	●	55	54	56
46	●	●	●	4	49	53	●	30
3	●	●	28	12	29	●	51	52
19	45	27	50	●	13	1	32	42

270 解答

5	9	6	4	8	2	7	1	3
3	1	7	6	5	9	2	8	4
2	8	4	1	7	3	5	6	9
7	3	1	8	9	4	6	2	5
9	6	2	5	3	7	1	4	8
4	5	8	2	6	1	3	9	7
1	7	9	3	2	8	4	5	6
6	4	3	9	1	5	8	7	2
8	2	5	7	4	6	9	3	1

QUESTION

273

LEVEL 👑👑👑👑👑 TIME 　　分

CHECK 1 2 3 4 5 6 7 8 9

	7			3			4	
6								8
		9	2		6			
		2	3		7	1		
1								5
		8	9		5	4		
			1		4	3		
3								2
	2			5			6	

273 ヒント

2	●	11	16	●	39	55	●	54
●	37	30	12	41	42	6	35	●
38	36	●	●	31	●	43	34	40
28	29	●	●	51	●	●	49	53
●	20	23	13	50	4	52	21	●
19	24	●	●	1	●	●	5	22
32	45	25	●	3	●	●	48	44
●	27	26	14	18	17	33	9	●
46	●	10	15	●	7	47	●	8

271 解答

1	9	6	2	7	8	4	3	5
5	4	3	9	6	1	7	2	8
7	2	8	3	4	5	6	1	9
3	8	7	5	1	4	9	6	2
6	1	9	7	8	2	3	5	4
2	5	4	6	3	9	8	7	1
4	6	5	1	9	7	2	8	3
9	3	2	8	5	6	1	4	7
8	7	1	4	2	3	5	9	6

QUESTION
274

LEVEL ♛♛♛♛♛ TIME 分

CHECK 1 2 3 4 5 6 7 8 9

6				2				5
			7			2		
		1				7	8	
	9		6		7			
1				3				9
			5		1		2	
	2	5				4		
		3			8			
9				4				6

274 ヒント

●	38	43	10	●	46	28	29	●
41	40	12	●	11	47	●	3	44
1	42	●	23	22	16	●	●	45
48	●	8	●	9	●	52	14	13
●	51	56	21	●	20	53	35	●
39	50	55	●	7	●	49	●	54
37	●	●	25	15	24	●	27	33
6	4	●	26	17	●	30	31	2
●	5	36	19	●	18	34	32	●

272 解答

6	9	5	1	7	8	3	2	4
3	1	8	6	2	4	7	9	5
7	2	4	9	3	5	6	1	8
1	8	7	5	9	3	4	6	2
9	4	2	7	8	6	5	3	1
5	3	6	4	1	2	8	7	9
8	6	1	2	5	7	9	4	3
4	5	9	3	6	1	2	8	7
2	7	3	8	4	9	1	5	6

QUESTION

275

LEVEL 👑👑👑👑👑 TIME 分

CHECK 1 2 3 4 5 6 7 8 9

		8		2		7		
	4				1			
1				7				4
				8			3	
9		3	2		4	5		8
	5			6				
2				9				1
			3				6	
		9		5		2		

275 ヒント

12	25	●	5	●	44	●	1	39
38	●	43	55	4	●	27	37	40
●	24	42	49	●	54	13	41	●
35	21	33	45	●	51	46	●	36
●	10	●	●	8	●	●	11	●
9	●	34	50	●	3	22	30	47
●	15	32	53	●	52	29	17	●
23	19	20	●	6	2	18	●	16
31	26	●	7	●	48	●	28	14

273 解答

2	7	5	8	3	1	9	4	6
6	1	4	5	7	9	2	3	8
8	3	9	2	4	6	7	5	1
4	5	2	3	6	7	1	8	9
1	9	3	4	8	2	6	7	5
7	6	8	9	1	5	4	2	3
5	8	6	1	2	4	3	9	7
3	4	7	6	9	8	5	1	2
9	2	1	7	5	3	8	6	4

QUESTION

276

LEVEL 👑👑👑👑👑 TIME 分

CHECK 1 2 3 4 5 6 7 8 9

			8	3	2			
		2				3		
	5			4			6	
9			5					2
4		6				7		1
7					3			9
	9			2			4	
		1				8		
			1	6	7			

276 ヒント

23	26	27	●	●	●	48	25	47
24	28	●	36	38	37	●	34	32
30	●	31	39	●	17	2	●	35
●	8	9	●	12	43	46	5	●
●	6	●	11	15	16	●	4	●
●	7	3	44	10	●	45	13	●
21	●	19	18	●	14	1	●	20
52	22	●	41	42	40	●	54	50
51	33	29	●	●	●	55	53	49

274 解答

6	7	4	8	2	3	1	9	5
5	8	9	7	1	4	2	6	3
2	3	1	9	5	6	7	8	4
3	9	2	6	8	7	5	4	1
1	5	8	4	3	2	6	7	9
7	4	6	5	9	1	3	2	8
8	2	5	3	6	9	4	1	7
4	6	3	1	7	8	9	5	2
9	1	7	2	4	5	8	3	6

QUESTION

277

LEVEL ♛♛♛♛♛ TIME 分

CHECK 1 2 3 4 5 6 7 8 9

4				5				
			1		7	6		
		5			8	9	3	
	1					8	7	
7								2
	3	6					9	
	2	1	7			4		
		7	4		5			
				6				5

277 ヒント

●	52	29	19	●	39	45	46	55
20	53	18	●	30	●	●	2	32
1	49	●	38	31	●	●	●	54
25	●	11	6	36	37	●	●	13
●	4	24	50	43	51	14	10	●
26	●	●	23	7	12	5	●	15
3	●	●	●	22	35	●	17	33
16	27	●	●	40	●	47	48	34
28	9	21	42	●	41	8	44	●

275 解答

3	9	8	4	2	5	7	1	6
6	4	7	9	3	1	8	2	5
1	2	5	6	7	8	3	9	4
7	1	4	5	8	9	6	3	2
9	6	3	2	1	4	5	7	8
8	5	2	7	6	3	1	4	9
2	3	6	8	9	7	4	5	1
5	8	1	3	4	2	9	6	7
4	7	9	1	5	6	2	8	3

QUESTION

278

LEVEL　　TIME　分

CHECK 1 2 3 4 5 6 7 8 9

1				8				9
		3			9	5		
	4					1	6	
				9			5	
7			8		6			3
	9			1				
	3	6					9	
		9	2			7		
4				5				8

278 ヒント

●	22	23	8	●	30	11	26	●
18	17	●	1	49	●	●	2	28
3	●	4	48	10	27	●	●	29
43	14	33	41	●	51	16	●	38
●	24	32	●	19	●	5	34	●
42	●	37	31	●	50	15	25	39
52	●	●	54	45	55	12	●	35
53	13	●	●	7	40	●	46	47
●	20	21	6	●	36	9	44	●

276 解答

6	7	9	8	3	2	5	1	4
1	4	2	7	5	6	3	9	8
8	5	3	9	4	1	2	6	7
9	1	8	5	7	4	6	3	2
4	3	6	2	8	9	7	5	1
7	2	5	6	1	3	4	8	9
5	9	7	3	2	8	1	4	6
2	6	1	4	9	5	8	7	3
3	8	4	1	6	7	9	2	5

QUESTION

279

LEVEL ♛♛♛♛♛ TIME 分

CHECK 1 2 3 4 5 6 7 8 9

				6				
	2						4	
		1	3	2	8	5		
		3			1	7		
5		6				3		2
		7	2			1		
		8	4	7	5	2		
	7						3	
				1				

279 ヒント

23	24	50	47	●	8	27	2	18
26	●	49	19	48	21	28	●	20
39	38	●	●	●	●	●	41	40
3	52	●	44	45	●	●	35	55
●	1	●	22	11	46	●	30	●
53	51	●	●	7	17	●	16	54
25	37	●	●	●	●	●	9	33
10	●	12	29	42	5	34	●	14
36	13	6	43	●	4	15	32	31

277 解答

4	7	9	3	5	6	2	1	8
3	8	2	1	9	7	6	5	4
1	6	5	2	4	8	9	3	7
9	1	4	5	3	2	8	7	6
7	5	8	6	1	9	3	4	2
2	3	6	8	7	4	5	9	1
5	2	1	7	8	3	4	6	9
6	9	7	4	2	5	1	8	3
8	4	3	9	6	1	7	2	5

280

LEVEL ♛ ♛ ♛ ♛ ♛ TIME　分

CHECK 1 2 3 4 5 6 7 8 9

					1	5		
	8		4				9	
				2				1
	2		1		5			8
		6		4		3		
1			6		9		2	
3				7				
	9				2		8	
		7	9					

280 ヒント

41	46	14	8	19	●	●	35	48
53	●	1	●	10	29	27	●	47
45	34	54	9	●	30	5	39	●
56	●	42	●	7	●	32	36	●
11	22	●	3	●	4	●	2	20
●	55	33	●	6	●	37	●	21
●	28	12	18	●	17	25	31	26
43	●	44	16	50	●	52	●	38
13	40	●	●	49	15	51	23	24

278 解答

1	7	5	6	8	4	3	2	9
2	6	3	1	7	9	5	8	4
9	4	8	5	3	2	1	6	7
6	8	1	3	9	7	4	5	2
7	5	4	8	2	6	9	1	3
3	9	2	4	1	5	8	7	6
5	3	6	7	4	8	2	9	1
8	1	9	2	6	3	7	4	5
4	2	7	9	5	1	6	3	8

QUESTION

281

LEVEL ♛♛♛♛♛ TIME 分

CHECK 1 2 3 4 5 6 7 8 9

			7		5			9
			2	6		4		
						8	6	
5	2							4
	6			1			7	
7							2	3
	4	5						
		3		5	1			
2			3		7			

281 ヒント

17	31	12	●	24	●	10	21	●
47	15	46	●	●	29	●	20	19
23	16	22	1	14	30	●	●	11
●	●	44	35	5	6	37	40	●
4	●	27	49	●	2	41	●	39
●	43	42	34	50	26	36	●	●
45	●	●	54	3	33	8	9	55
51	7	●	25	●	●	13	56	32
●	52	18	●	53	●	38	28	48

279 解答

7	3	9	5	6	4	8	2	1
8	2	5	1	9	7	6	4	3
4	6	1	3	2	8	5	9	7
2	4	3	8	5	1	7	6	9
5	1	6	7	4	9	3	8	2
9	8	7	2	3	6	1	5	4
3	9	8	4	7	5	2	1	6
1	7	4	6	8	2	9	3	5
6	5	2	9	1	3	4	7	8

QUESTION

282

LEVEL TIME 分

CHECK 1 2 3 4 5 6 7 8 9

			4		7			
	2			6			5	
		9		2		1		
4					1			9
	7	5				3	2	
2			3					8
		4		1		9		
	3			9			6	
			8		5			

282 ヒント

20	22	32	●	45	●	47	6	46
24	●	37	1	●	5	35	●	25
36	4	●	10	●	44	●	48	33
●	17	3	2	15	●	18	13	●
29	●	●	7	51	52	●	●	27
●	8	28	●	14	34	16	26	●
40	19	●	11	●	41	●	50	54
30	●	39	12	●	43	55	●	21
9	23	38	●	42	●	53	31	49

280 解答

4	6	2	8	9	1	5	3	7
7	8	1	4	5	3	2	9	6
5	3	9	7	2	6	8	4	1
9	2	4	1	3	5	6	7	8
8	5	6	2	4	7	3	1	9
1	7	3	6	8	9	4	2	5
3	1	8	5	7	4	9	6	2
6	9	5	3	1	2	7	8	4
2	4	7	9	6	8	1	5	3

QUESTION

283

LEVEL ♛♛♛♛♛ TIME 分

CHECK 1 2 3 4 5 6 7 8 9

	3						5	
1								6
		4	3		1	7		
		1	9		6	2		
				4				
		3	7		5	1		
		7	4		2	6		
8								4
	9						3	

283 ヒント

36	●	44	38	32	41	8	●	1
●	37	29	40	35	9	4	43	●
52	51	●	●	30	●	●	42	14
28	47	●	●	23	●	●	55	25
39	53	54	2	●	24	45	49	27
50	46	●	●	3	●	●	48	56
5	12	●	●	34	●	●	10	20
●	11	16	31	26	33	21	13	●
6	●	15	17	7	22	19	●	18

281 解答

6	8	2	7	4	5	3	1	9
9	3	1	2	6	8	4	5	7
4	5	7	1	3	9	8	6	2
5	2	9	6	7	3	1	8	4
3	6	4	8	1	2	9	7	5
7	1	8	5	9	4	6	2	3
1	4	5	9	2	6	7	3	8
8	7	3	4	5	1	2	9	6
2	9	6	3	8	7	5	4	1

QUESTION

284

LEVEL ♛♛♛♛♛ TIME 分

CHECK 1 2 3 4 5 6 7 8 9

2								4
			2		4		5	
			7	6	5			
	5	3				2	7	
		7				9		
	2	1				3	6	
			8	2	7			
	3		6		9			
1								9

284 ヒント

●	20	4	51	50	7	19	39	●
17	30	55	●	40	●	52	●	49
18	29	54	●	●	●	36	53	14
47	●	●	11	46	5	●	●	13
21	22	●	41	42	2	●	3	12
48	●	●	45	6	9	●	●	10
24	32	31	●	●	●	34	35	37
23	●	26	●	1	●	25	28	15
●	16	27	43	44	8	33	38	●

282 解答

5	1	6	4	8	7	2	9	3
3	2	8	1	6	9	7	5	4
7	4	9	5	2	3	1	8	6
4	8	3	2	5	1	6	7	9
6	7	5	9	4	8	3	2	1
2	9	1	3	7	6	5	4	8
8	5	4	6	1	2	9	3	7
1	3	2	7	9	4	8	6	5
9	6	7	8	3	5	4	1	2

QUESTION

285

LEVEL ♛♛♛♛♛ TIME 分

CHECK 1 2 3 4 5 6 7 8 9

			3	2				
	4	1			5	2		
	7				1		5	
6						9	8	
8				3				1
	2	7						4
	9		8				3	
		2	5			8	1	
				4	2			

285 ヒント

19	15	40	●	●	47	1	8	54
28	●	●	52	42	●	●	50	53
2	●	41	9	51	●	39	●	32
●	23	29	5	43	35	●	●	31
●	11	33	27	●	44	13	4	●
34	●	●	22	36	17	30	12	●
20	●	18	●	21	26	7	●	3
10	14	●	●	46	6	●	●	48
24	25	16	45	●	●	37	49	38

283 解答

7	3	8	2	6	9	4	5	1
1	2	5	8	7	4	3	9	6
9	6	4	3	5	1	7	8	2
5	4	1	9	8	6	2	7	3
2	7	9	1	4	3	8	6	5
6	8	3	7	2	5	1	4	9
3	5	7	4	9	2	6	1	8
8	1	6	5	3	7	9	2	4
4	9	2	6	1	8	5	3	7

QUESTION

286

LEVEL ♛♛♛♛♛ TIME 分

CHECK 1 2 3 4 5 6 7 8 9

9								8
	8	2		5			6	
	1	7	9					
		4		8				
	5		6		7		3	
				1		8		
					1	3	9	
	7			3		1	5	
5								4

286 ヒント

●	22	3	47	46	45	39	43	●
14	●	●	44	●	16	50	●	51
23	●	●	●	25	5	15	24	13
41	49	●	35	●	34	55	54	29
40	●	12	●	27	●	19	●	42
52	53	9	18	●	30	●	38	48
11	21	10	4	17	●	●	●	26
20	●	8	7	●	32	●	●	36
●	2	1	33	31	28	37	6	●

284 解答

2	6	5	9	8	1	7	3	4
7	1	9	2	3	4	8	5	6
3	4	8	7	6	5	1	9	2
4	5	3	1	9	6	2	7	8
6	8	7	3	5	2	9	4	1
9	2	1	4	7	8	3	6	5
5	9	6	8	2	7	4	1	3
8	3	4	6	1	9	5	2	7
1	7	2	5	4	3	6	8	9

QUESTION
287

LEVEL ♛♛♛♛♛ TIME 分

CHECK 1 2 3 4 5 6 7 8 9

		3				7		
	6			3			8	
8			2		1			6
		1			8	2		
	9			5			6	
		5	4			1		
9			5		6			2
	1			9			5	
		6				3		

287 ヒント

37	26	●	12	11	24	●	2	42
36	●	40	8	●	23	43	●	38
●	33	41	●	9	●	25	3	●
21	27	●	22	19	●	●	50	4
34	●	35	1	●	48	44	●	51
20	13	●	●	16	47	●	52	49
●	6	32	●	29	●	53	28	●
45	●	46	17	●	15	5	●	31
7	14	●	10	30	18	●	39	54

285 解答

5	8	6	3	2	7	1	4	9
3	4	1	9	6	5	2	7	8
2	7	9	4	8	1	6	5	3
6	1	3	2	7	4	9	8	5
8	5	4	6	3	9	7	2	1
9	2	7	1	5	8	3	6	4
7	9	5	8	1	6	4	3	2
4	6	2	5	9	3	8	1	7
1	3	8	7	4	2	5	9	6

QUESTION
288

LEVEL ♛♛♛♛♛ TIME 分

CHECK 1 2 3 4 5 6 7 8 9

	1		4		8			
		9	2	7		6		
	6	1		9			5	
		8	5		3	1		
	9			8		3	2	
		4		5	7	8		
			6		1		9	

288 ヒント

22	41	34	20	2	21	51	53	52
45	●	35	●	19	●	10	33	37
46	36	●	●	●	11	●	42	43
3	●	●	4	●	8	9	●	5
30	31	●	●	13	●	●	23	7
15	●	18	1	●	14	●	●	24
28	29	●	26	●	●	●	32	25
47	55	38	●	40	●	50	●	17
27	54	12	6	39	16	48	44	49

286 解答

9	4	5	7	6	3	2	1	8
3	8	2	1	5	4	7	6	9
6	1	7	9	2	8	5	4	3
1	6	4	3	8	2	9	7	5
2	5	8	6	9	7	4	3	1
7	9	3	4	1	5	8	2	6
8	2	6	5	4	1	3	9	7
4	7	9	8	3	6	1	5	2
5	3	1	2	7	9	6	8	4

QUESTION

289

LEVEL ♛♛♛♛♛ TIME 分

CHECK 1 2 3 4 5 6 7 8 9

		5					9	
	4						3	1
1		2			4	5		
				8	9	4		
			6		1			
		8	7	3				
		9	2			1		3
7	6						5	
	1					7		

289 ヒント

13	20	●	26	25	34	36	●	5
41	●	15	38	31	30	28	●	●
●	40	●	14	39	●	●	19	35
10	11	1	8	●	●	●	17	18
44	12	16	●	6	●	4	24	47
9	45	●	●	●	7	37	2	46
42	43	●	●	33	32	●	22	●
●	●	52	54	27	50	49	●	21
3	●	53	55	29	51	●	23	48

287 解答

1	5	3	6	8	9	7	2	4
2	6	4	7	3	5	9	8	1
8	7	9	2	4	1	5	3	6
3	4	1	9	6	8	2	7	5
7	9	2	1	5	3	4	6	8
6	8	5	4	2	7	1	9	3
9	3	7	5	1	6	8	4	2
4	1	8	3	9	2	6	5	7
5	2	6	8	7	4	3	1	9

QUESTION

290

LEVEL ♛♛♛♛♛ TIME 分

CHECK 1 2 3 4 5 6 7 8 9

	8						1	
2				6			5	9
			3		2			
		3		7		5		
	4		1		5		6	
		2		4		7		
			9		4			
3	7			1				8
	6						4	

290 ヒント

29	●	23	12	32	15	48	●	49
●	3	9	11	●	1	14	●	●
13	30	22	●	31	●	53	55	54
20	21	●	18	●	43	●	47	4
10	●	26	●	41	●	45	●	46
27	28	●	19	●	44	●	42	5
34	2	37	●	39	●	50	52	51
●	●	6	7	●	8	25	24	●
33	●	38	16	17	40	35	●	36

288 解答

6	4	7	3	1	9	2	8	5
5	1	2	4	6	8	9	7	3
8	3	9	2	7	5	6	4	1
3	6	1	7	9	2	4	5	8
2	7	8	5	4	3	1	6	9
4	9	5	1	8	6	3	2	7
1	2	4	9	5	7	8	3	6
7	8	3	6	2	1	5	9	4
9	5	6	8	3	4	7	1	2

QUESTION

291

LEVEL ♛♛♛♛♛ TIME 分

CHECK 1 2 3 4 5 6 7 8 9

				8				
	1					4	8	
		5	2	9		7	1	
		6			5			
2		4				1		3
			4			6		
	9	7		2	1	3		
	6	1					9	
				3				

291 ヒント

45	53	34	1	●	47	33	4	31
46	●	55	24	8	49	●	●	32
54	50	●	●	●	48	●	●	10
37	44	●	5	39	●	35	11	12
●	43	●	17	9	18	●	41	●
38	52	51	●	40	3	●	42	36
27	●	●	21	●	●	●	23	30
6	●	●	15	7	16	14	●	13
26	25	28	19	●	20	29	22	2

289 解答

3	7	5	1	2	6	8	9	4
9	4	6	8	7	5	2	3	1
1	8	2	3	9	4	5	7	6
6	3	1	5	8	9	4	2	7
5	2	7	6	4	1	3	8	9
4	9	8	7	3	2	6	1	5
8	5	9	2	6	7	1	4	3
7	6	3	4	1	8	9	5	2
2	1	4	9	5	3	7	6	8

QUESTION

292

LEVEL ♛♛♛♛♛ TIME 分

CHECK 1 2 3 4 5 6 7 8 9

	9			3			4	
6							3	2
			2		6			
		1	9		5	2		
4								5
		6	7		1	3		
			8		9			
2	7							9
	3			5			1	

292 ヒント

37	●	2	44	●	52	29	●	55
●	23	25	39	27	40	54	●	●
38	22	10	●	53	●	28	36	45
9	15	●	●	17	●	●	51	50
●	14	11	46	31	47	1	19	●
12	13	●	●	16	●	●	20	18
7	6	48	●	8	●	33	3	5
●	●	49	41	42	43	26	32	●
24	●	21	30	●	4	34	●	35

290 解答

5	8	6	4	9	7	2	1	3
2	3	7	8	6	1	4	5	9
4	9	1	3	5	2	6	8	7
6	1	3	2	7	8	5	9	4
7	4	9	1	3	5	8	6	2
8	5	2	6	4	9	7	3	1
1	2	5	9	8	4	3	7	6
3	7	4	5	1	6	9	2	8
9	6	8	7	2	3	1	4	5

QUESTION
293

LEVEL 👑👑👑👑👑 TIME 分

CHECK 1 2 3 4 5 6 7 8 9

4								6
			6		2	3		
			5		8	4		
	1			8			5	
		5	3		7	1		
	3			9			7	
	7	1		2				
		9	5		1			
3								9

293 ヒント

●	35	23	37	6	39	31	17	●
28	19	20	●	5	●	●	18	30
29	34	25	40	●	24	●	●	32
21	●	22	3	●	8	15	●	4
53	48	●	●	9	●	●	14	50
52	●	51	1	●	7	16	●	49
26	●	●	54	●	55	43	11	33
46	45	●	●	10	●	38	12	41
●	27	47	44	13	36	42	2	●

291 解答

7	4	2	1	8	6	9	3	5
6	1	9	7	5	3	4	8	2
8	3	5	2	9	4	7	1	6
9	7	6	3	1	5	8	2	4
2	5	4	8	6	9	1	7	3
1	8	3	4	7	2	6	5	9
5	9	7	6	2	1	3	4	8
3	6	1	5	4	8	2	9	7
4	2	8	9	3	7	5	6	1

299

QUESTION
294

LEVEL ♛♛♛♛♛ TIME 分

CHECK 1 2 3 4 5 6 7 8 9

1								
		2		4		8		
	3	7			2	1	4	
			6		1	2		
	5						1	
		6	2		3			
	8	5	7			9	2	
		9		6		4		
								5

294 ヒント

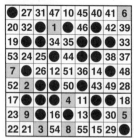

●	27	31	47	10	45	40	41	6
20	32	●	1	●	46	●	42	39
19	●	●	34	35	●	●	●	33
53	24	25	●	44	●	●	38	37
7	●	26	12	51	36	14	●	48
52	2	●	●	50	●	43	49	28
17	●	●	●	4	11	●	●	18
23	9	●	16	●	13	●	30	5
22	21	3	54	8	55	15	29	●

292 解答

5	9	2	1	3	7	6	4	8
6	1	8	5	9	4	7	3	2
7	4	3	2	8	6	9	5	1
3	8	1	9	4	5	2	7	6
4	2	7	3	6	8	1	9	5
9	5	6	7	2	1	3	8	4
1	6	4	8	7	9	5	2	3
2	7	5	4	1	3	8	6	9
8	3	9	6	5	2	4	1	7

QUESTION

295

LEVEL ♛♛♛♛♛ TIME 分

CHECK 1 2 3 4 5 6 7 8 9

			5		2			
		6				2		
	5			4		3	8	
1			8		9			4
		9				1		
6			2		7			5
	7	4		6			2	
		2				5		
			7		3			

295 ヒント

33	22	19	●	44	●	49	48	52
12	32	●	16	43	42	●	6	45
2	●	31	36	●	34	●	●	53
●	4	25	●	27	●	23	29	●
24	13	●	38	26	37	●	28	3
●	10	11	●	1	●	8	9	●
18	●	●	15	●	7	14	●	17
21	54	●	41	40	39	●	46	47
30	55	35	●	5	●	51	50	20

293 解答

4	9	3	7	1	8	5	2	6
5	8	7	6	4	2	3	9	1
1	6	2	9	5	3	8	4	7
7	1	6	2	8	4	9	5	3
9	2	5	3	6	7	1	8	4
8	3	4	1	9	5	6	7	2
6	7	1	8	2	9	4	3	5
2	4	9	5	3	1	7	6	8
3	5	8	4	7	6	2	1	9

QUESTION

296

LEVEL ♛♛♛♛♛ TIME 分

CHECK 1 2 3 4 5 6 7 8 9

		3		1	9	7		
	6				5		9	
			3		1	2	5	
	5			6			4	
	4	6	9		2			
	3		4				8	
		2	5	7		6		

296 ヒント

55	14	56	53	33	6	28	45	35
25	13	●	50	●	●	●	46	22
47	●	21	54	34	●	32	●	44
24	41	40	●	5	●	●	●	8
2	●	4	10	●	9	30	●	31
3	●	●	●	7	●	36	49	48
38	●	26	●	51	11	37	●	42
20	15	●	●	●	18	●	16	29
12	39	19	1	52	17	23	43	27

294 解答

1	4	8	9	3	6	7	5	2
5	9	2	1	4	7	8	6	3
6	3	7	5	8	2	1	4	9
9	7	4	6	5	1	2	3	8
2	5	3	4	9	8	6	1	7
8	1	6	2	7	3	5	9	4
3	8	5	7	1	4	9	2	6
7	2	9	3	6	5	4	8	1
4	6	1	8	2	9	3	7	5

QUESTION

297

LEVEL ♛♛♛♛♛ TIME 分

CHECK 1 2 3 4 5 6 7 8 9

			7					2
	3	1	5		4		6	
	2			9				
7	9						5	
		2				1		
	8						7	6
				3			4	
	7		6		2	9	1	
5					9			

297 ヒント

22	44	43	●	32	33	12	18	●
35	●	●	●	3	●	20	●	19
13	●	5	17	●	14	11	21	1
●	●	25	9	30	31	27	●	15
24	40	●	38	53	52	●	23	26
2	●	39	8	45	16	10	●	●
4	36	6	51	●	46	34	●	54
28	●	49	●	42	●	●	●	47
●	41	48	37	50	●	29	7	55

295 解答

9	3	8	5	7	2	4	1	6
4	1	6	3	9	8	2	5	7
2	5	7	6	4	1	3	8	9
1	2	5	8	3	9	7	6	4
7	8	9	4	5	6	1	3	2
6	4	3	2	1	7	8	9	5
8	7	4	1	6	5	9	2	3
3	6	2	9	8	4	5	7	1
5	9	1	7	2	3	6	4	8

QUESTION

298

LEVEL ♛♛♛♛♛ TIME 分

CHECK 1 2 3 4 5 6 7 8 9

		5		1	6	7		
					2		6	
2			3					1
		9					7	5
1								9
5	4					3		
3					4			2
	9		2					
		6	7	3		1		

298 ヒント

20	22	●	23	●	●	●	2	17
18	11	16	36	43	●	46	●	45
●	5	21	●	33	44	40	47	●
6	15	●	34	27	13	31	●	●
●	19	29	25	26	14	38	37	●
●	●	30	35	28	32	●	1	24
●	4	9	12	53	●	55	51	●
49	●	10	●	52	41	54	8	7
50	3	●	●	●	42	●	39	48

296 解答

7	2	9	6	3	4	5	1	8
5	8	3	2	1	9	7	6	4
1	6	4	7	8	5	3	9	2
8	9	7	3	4	1	2	5	6
2	5	1	8	6	7	9	4	3
3	4	6	9	5	2	8	7	1
9	3	5	4	2	6	1	8	7
4	1	2	5	7	8	6	3	9
6	7	8	1	9	3	4	2	5

QUESTION

299

LEVEL ♛♛♛♛♛ TIME 分

CHECK 1 2 3 4 5 6 7 8 9

	1					2	4	
6								8
			1		7	9		3
		3	8		1	6		
				2				
		8	5		9	7		
1		6	2		3			
8								1
	3	5					9	

299 ヒント

6	●	21	22	16	28	●	●	32
●	31	26	9	29	5	3	20	●
30	7	25	●	27	●	●	33	●
52	46	●	●	40	●	●	34	48
51	35	1	39	●	38	13	12	49
50	10	●	●	8	●	●	2	47
●	23	●	●	24	●	17	14	19
●	53	54	37	41	36	11	44	●
45	●	●	42	4	15	18	●	43

297 解答

9	6	5	7	1	8	4	3	2
8	3	1	5	2	4	7	6	9
4	2	7	3	9	6	5	8	1
7	9	3	2	6	1	8	5	4
6	5	2	4	8	7	1	9	3
1	8	4	9	5	3	2	7	6
2	1	9	8	3	5	6	4	7
3	7	8	6	4	2	9	1	5
5	4	6	1	7	9	3	2	8

QUESTION

300

LEVEL ♛♛♛♛♛ TIME 分

CHECK 1 2 3 4 5 6 7 8 9

					6		9	
				4				8
		3	8		9	5		
		5			2	8		3
	2						1	
1		4	5			7		
		2	7		5	3		
8				2				
	3		1					

300 ヒント

30	17	18	6	5	●	28	●	12
55	51	54	7	●	2	22	3	●
44	43	●	●	8	●	●	29	19
46	45	●	35	1	●	●	27	●
4	●	16	34	36	13	26	●	11
●	25	●	●	10	15	●	32	31
42	21	●	●	38	●	●	23	40
●	49	48	37	●	9	20	52	41
50	●	39	●	24	14	33	53	47

298 解答

9	8	5	4	1	6	7	2	3
7	1	3	5	9	2	4	6	8
2	6	4	3	7	8	5	9	1
6	3	9	8	4	1	2	7	5
1	7	2	6	5	3	8	4	9
5	4	8	9	2	7	3	1	6
3	5	7	1	6	4	9	8	2
4	9	1	2	8	5	6	3	7
8	2	6	7	3	9	1	5	4

QUESTION

301

LEVEL ♛♛♛♛♛ TIME 分

CHECK 1 2 3 4 5 6 7 8 9

3				6				4
			5	3	2			
		9	8					
	6	2					8	
4	5						1	3
	3					9	4	
					3	7		
			6	1	5			
1				8				2

301 ヒント

●	43	26	6	●	20	31	47	●
30	51	50	●	●	●	41	46	35
33	42	●	●	21	8	40	44	25
19	●	●	4	7	5	15	●	14
●	●	17	22	23	13	3	●	●
18	●	1	10	9	16	●	●	12
27	29	48	52	11	●	●	37	2
34	55	54	●	●	●	36	39	32
●	49	45	53	●	24	38	28	●

299 解答

3	1	7	9	8	6	2	4	5
6	9	4	3	5	2	1	7	8
5	8	2	1	4	7	9	6	3
9	2	3	8	7	1	6	5	4
7	5	1	6	2	4	8	3	9
4	6	8	5	3	9	7	1	2
1	4	6	2	9	3	5	8	7
8	7	9	4	6	5	3	2	1
2	3	5	7	1	8	4	9	6

QUESTION

302

LEVEL ♛♛♛♛♛ TIME 分

CHECK 1 2 3 4 5 6 7 8 9

		5		1				
	3						7	
9		4	3		5			
		2	1			3		
3				9				8
		1			4	6		
			9		6	1		2
	1						6	
				2		4		

302 ヒント

17	10	●	30	●	31	43	27	26
1	●	18	35	20	36	11	●	29
●	15	●	●	19	●	38	42	3
50	52	●	●	13	34	●	53	28
●	8	14	12	●	33	40	2	●
51	39	●	32	6	●	●	37	54
9	48	23	●	45	●	●	25	●
5	●	49	21	46	7	44	●	41
16	47	24	22	●	4	●	56	55

300 解答

2	8	1	3	5	6	4	9	7
9	5	7	2	4	1	6	3	8
6	4	3	8	7	9	5	2	1
7	6	5	9	1	2	8	4	3
3	2	8	4	6	7	9	1	5
1	9	4	5	3	8	7	6	2
4	1	2	7	9	5	3	8	6
8	7	9	6	2	3	1	5	4
5	3	6	1	8	4	2	7	9

QUESTION

303

LEVEL ♛♛♛♛♛ TIME 分

CHECK 1 2 3 4 5 6 7 8 9

		7				8		
			5		3	4		
6							5	1
	9			1	7		3	
			2		9			
	8		4	3			2	
9	1							3
		5	1		6			
		2				7		

303 ヒント

38	39	●	18	10	1	●	22	8
27	7	26	●	23	●	●	21	17
●	9	25	24	14	15	4	●	●
3	●	30	20	●	●	41	●	32
31	36	6	●	19	●	29	50	47
37	●	28	●	●	11	46	●	51
●	●	33	13	43	52	45	16	●
40	48	●	●	44	●	55	35	54
49	12	●	5	53	34	●	2	42

301 解答

3	2	5	1	6	9	8	7	4
8	7	4	5	3	2	1	6	9
6	1	9	8	7	4	3	2	5
9	6	2	3	4	1	5	8	7
4	5	8	7	9	6	2	1	3
7	3	1	2	5	8	9	4	6
5	8	6	4	2	3	7	9	1
2	9	7	6	1	5	4	3	8
1	4	3	9	8	7	6	5	2

QUESTION

304

LEVEL TIME 分

CHECK 1 2 3 4 5 6 7 8 9

4								5
	1	5		6				
	3		1		8	6		
		8	4			2		
	7						1	
		9			3	4		
		3	2		1		6	
				9		8	2	
5								3

304 ヒント

●	30	17	32	6	10	1	27	●
28	●	●	33	●	9	31	21	14
29	●	13	●	8	●	●	52	51
22	40	●	●	24	34	●	42	47
25	●	7	16	39	37	20	●	43
23	41	●	38	26	●	●	46	45
36	35	●	●	53	●	12	●	48
18	15	19	5	●	11	●	●	2
●	4	3	55	54	44	50	49	●

302 解答

7	2	5	6	1	8	9	4	3
1	3	8	2	4	9	5	7	6
9	6	4	3	7	5	2	8	1
8	9	2	1	6	7	3	5	4
3	4	6	5	9	2	7	1	8
5	7	1	8	3	4	6	2	9
4	5	7	9	8	6	1	3	2
2	1	9	4	5	3	8	6	7
6	8	3	7	2	1	4	9	5

QUESTION
305

LEVEL ♛♛♛♛♛ TIME 分

CHECK 1 2 3 4 5 6 7 8 9

		3				2		
					3		7	
6				7		4		1
			7		1		5	
		5				6		
	2		8		9			
8		4		1				5
	1		4					
		2				3		

305 ヒント

37	22	●	5	41	27	●	49	48
6	42	4	24	38	●	9	●	50
●	26	43	40	●	39	●	7	●
32	36	44	●	11	●	47	●	13
3	45	●	34	35	23	●	46	20
21	●	12	●	10	●	2	18	19
●	30	●	54	●	52	15	55	●
29	●	14	●	33	53	56	57	51
31	25	●	28	17	16	●	1	8

303 解答

5	3	7	6	4	1	8	9	2
1	2	9	5	8	3	4	7	6
6	4	8	9	7	2	3	5	1
2	9	6	8	1	7	5	3	4
4	5	3	2	6	9	1	8	7
7	8	1	4	3	5	6	2	9
9	1	4	7	5	8	2	6	3
3	7	5	1	2	6	9	4	8
8	6	2	3	9	4	7	1	5

QUESTION

306

LEVEL ♛♛♛♛♛ TIME 分

CHECK 1 2 3 4 5 6 7 8 9

4								3
		3			1	8		
	9			6			1	
			2		8		4	
		8		9		6		
	7		3		6			
	1			8			3	
		7	5			2		
2								6

306 ヒント

●	43	1	53	40	54	38	45	●
47	41	●	19	39	●	●	44	20
48	●	15	46	●	3	18	●	13
30	7	6	●	27	●	4	●	28
8	9	●	26	●	12	●	14	49
29	●	10	●	11	●	50	22	21
16	●	56	5	●	2	17	●	33
42	32	●	●	25	35	●	37	23
●	55	34	52	31	51	24	36	●

304 解答

4	9	6	7	3	2	1	8	5
8	1	5	9	6	4	7	3	2
7	3	2	1	5	8	6	9	4
3	6	8	4	1	7	2	5	9
2	7	4	5	8	9	3	1	6
1	5	9	6	2	3	4	7	8
9	8	3	2	4	1	5	6	7
6	4	7	3	9	5	8	2	1
5	2	1	8	7	6	9	4	3

QUESTION

307

LEVEL ♛♛♛♛♛ TIME 分

CHECK 1 2 3 4 5 6 7 8 9

		2		6				
	4						1	
9			8		2			
		3		1	7	6		
5			3		8			2
		1	6	2		4		
			7		4			3
	8						4	
				3		8		

307 ヒント

14	10	●	39	●	40	37	33	28
13	●	8	41	31	7	2	●	38
●	9	12	●	27	●	11	19	32
49	50	●	26	●	●	●	35	34
●	18	25	●	30	●	1	21	●
17	22	●	●	●	29	●	3	36
15	47	20	●	5	●	45	53	●
4	●	48	6	44	54	16	●	43
24	46	23	42	●	55	●	51	52

305 解答

4	7	3	1	9	5	2	6	8
2	8	1	6	4	3	5	7	9
6	5	9	2	7	8	4	3	1
3	4	8	7	6	1	9	5	2
1	9	5	3	2	4	6	8	7
7	2	6	8	5	9	1	4	3
8	3	4	9	1	6	7	2	5
5	1	7	4	3	2	8	9	6
9	6	2	5	8	7	3	1	4

QUESTION
308

LEVEL ♛♛♛♛♛ TIME 分

CHECK 1 2 3 4 5 6 7 8 9

		8			9			
		7		3		2		
2	6					4	5	
				1				2
	1		4		6		7	
8				2				
	2	1					3	5
		6		4		1		
			5			6		

308 ヒント

36	10	●	2	11	●	26	32	30
44	43	●	12	●	7	●	38	35
●	●	29	13	23	24	●	●	39
14	52	18	49	●	20	48	16	●
28	●	3	●	51	●	21	●	47
●	53	17	50	●	19	27	34	33
9	●	●	55	15	22	45	●	●
41	40	●	6	●	4	●	46	25
37	31	42	●	54	1	●	5	8

306 解答

4	6	1	8	2	9	5	7	3
7	2	3	4	5	1	8	6	9
8	9	5	7	6	3	4	1	2
9	5	6	2	7	8	3	4	1
3	4	8	1	9	5	6	2	7
1	7	2	3	4	6	9	8	5
5	1	9	6	8	2	7	3	4
6	3	7	5	1	4	2	9	8
2	8	4	9	3	7	1	5	6

QUESTION
309

LEVEL ♛♛♛♛♛ TIME 分

CHECK 1 2 3 4 5 6 7 8 9

		8				5		
	3		4	2				
4		5				1		2
	5		9					
	1			4			6	
					8		7	
2		7				6		1
				6	2		3	
		3				9		

309 ヒント

11	2	●	43	42	30	●	5	4
52	●	51	●	●	6	8	13	7
●	10	●	17	19	20	●	14	●
22	●	44	●	24	16	48	1	35
23	●	47	41	●	21	25	●	53
15	46	18	40	39	●	45	●	54
●	27	●	26	29	28	●	9	●
50	56	49	38	●	●	34	●	33
55	12	●	36	37	31	●	3	32

307 解答

7	3	2	5	6	1	9	8	4
6	4	8	9	7	3	2	1	5
9	1	5	8	4	2	3	6	7
2	9	3	4	1	7	6	5	8
5	6	4	3	9	8	1	7	2
8	7	1	6	2	5	4	3	9
1	2	6	7	8	4	5	9	3
3	8	9	2	5	6	7	4	1
4	5	7	1	3	9	8	2	6

QUESTION

310

LEVEL ♛♛♛♛♛ TIME 分

CHECK 1 2 3 4 5 6 7 8 9

1								4
		8	5					
	4			8		3		
	2			3	6			
		5	1		2	9		
			8	5			7	
		6		2			8	
					3	6		
3								5

310 ヒント

●	15	38	1	19	36	8	13	●
12	3	●	●	34	27	46	20	45
17	●	37	2	●	35	●	14	40
32	●	22	28	●	●	10	21	23
24	30	●	●	26	●	●	6	33
25	31	4	●	●	29	44	●	43
39	56	●	53	●	7	49	●	5
16	18	47	50	52	●	●	55	41
●	57	48	11	51	9	42	54	●

308 解答

1	4	8	2	5	9	7	6	3
9	5	7	6	3	4	2	8	1
2	6	3	1	7	8	4	5	9
6	7	5	8	1	3	9	4	2
3	1	2	4	9	6	5	7	8
8	9	4	7	2	5	3	1	6
4	2	1	9	6	7	8	3	5
5	8	6	3	4	2	1	9	7
7	3	9	5	8	1	6	2	4

QUESTION

311

LEVEL ♛♛♛♛♛ TIME 分

CHECK 1 2 3 4 5 6 7 8 9

				7				4
				6			5	
		2	9		1			
		4		1		5		
7	9		8		4		3	1
		3		9		2		
			2		3	8		
	1			8				
2				5				

311 ヒント

53	43	47	13	●	19	45	31	●
29	44	52	8	●	20	46	●	18
24	26	●	●	7	●	15	50	51
41	4	●	6	●	40	●	55	32
●	●	11	●	5	●	12	●	●
1	42	●	39	●	14	●	9	54
27	35	34	●	10	●	●	3	48
22	●	36	38	●	33	25	17	16
●	23	28	2	●	37	30	49	21

309 解答

6	2	8	7	1	9	5	4	3
9	3	1	4	2	5	7	8	6
4	7	5	6	8	3	1	9	2
7	5	2	9	3	6	4	1	8
8	1	9	2	4	7	3	6	5
3	4	6	1	5	8	2	7	9
2	8	7	3	9	4	6	5	1
1	9	4	5	6	2	8	3	7
5	6	3	8	7	1	9	2	4

QUESTION

312

LEVEL ♛♛♛♛♛ TIME 分

CHECK 1 2 3 4 5 6 7 8 9

2								1
	8		1	5			3	
		9				2		
	3		6		5			
	2			4			8	
			8		7		9	
		6				8		
	4			7	1		2	
1								4

312 ヒント

●	38	11	47	25	24	44	35	●
36	●	43	●	●	3	45	●	41
42	1	●	46	29	28	●	39	5
8	●	9	●	34	●	40	22	32
49	●	54	23	●	30	51	●	52
48	37	53	●	33	●	50	●	31
12	15	●	6	13	7	●	2	18
10	●	16	19	●	●	55	●	56
●	14	4	17	27	26	20	21	●

310 解答

1	5	9	3	6	7	8	2	4
2	3	8	5	9	4	7	6	1
6	4	7	2	8	1	3	5	9
9	2	1	7	3	6	5	4	8
8	7	5	1	4	2	9	3	6
4	6	3	8	5	9	1	7	2
7	1	6	9	2	5	4	8	3
5	8	2	4	1	3	6	9	7
3	9	4	6	7	8	2	1	5

QUESTION
313

LEVEL ♛♛♛♛♛ TIME 分

CHECK 1 2 3 4 5 6 7 8 9

			3					
				4		5		
		8	7	9	2		1	
1		2				3		
	6	4				8	9	
		7				2		4
	2		6	5	1	7		
		3		2				
					4			

313 ヒント

52	36	13	●	16	5	51	43	44
53	42	15	8	●	17	●	49	50
31	11	●	●	●	●	37	●	27
●	21	●	4	18	23	●	40	41
10	●	●	2	19	14	●	●	1
33	32	●	6	7	22	●	24	●
35	●	20	●	●	●	●	47	48
26	34	●	46	●	9	29	38	39
25	30	12	45	3	●	28	54	55

311 解答

8	6	1	5	7	2	3	9	4
9	3	7	4	6	8	1	5	2
4	5	2	9	3	1	7	6	8
6	2	4	3	1	7	5	8	9
7	9	5	8	2	4	6	3	1
1	8	3	6	9	5	2	4	7
5	7	9	2	4	3	8	1	6
3	1	6	7	8	9	4	2	5
2	4	8	1	5	6	9	7	3

QUESTION
314

LEVEL ♛♛♛♛♛ TIME 分

CHECK 1 2 3 4 5 6 7 8 9

								5
		6		7		8		
	7		3	5			4	
		7			2			
	4	8				2	9	
			9			7		
	5			1	7		2	
		1		6		9		
3								

314 ヒント

10	20	9	56	57	50	23	4	●
2	30	●	37	●	36	●	12	31
24	●	29	●	●	21	22	●	32
41	39	●	48	49	●	34	44	42
17	●	●	5	11	8	●	●	18
25	40	3	●	43	38	●	51	52
19	●	26	35	●	●	15	●	14
6	28	●	47	●	1	●	46	33
●	16	27	53	54	55	45	13	7

312 解答

2	5	3	7	8	9	4	6	1
6	8	4	1	5	2	9	3	7
7	1	9	4	3	6	2	5	8
9	3	8	6	1	5	7	4	2
5	2	7	9	4	3	1	8	6
4	6	1	8	2	7	5	9	3
3	7	6	2	9	4	8	1	5
8	4	5	3	7	1	6	2	9
1	9	2	5	6	8	3	7	4

QUESTION
315

LEVEL ♛♛♛♛♛ TIME 分

CHECK 1 2 3 4 5 6 7 8 9

					7			
			4		5		6	
		1		6		5		
	9			3			5	2
		4	1		2	8		
7	8			4			3	
		8		5		9		
	3		6		1			
			2					

315 ヒント

31	39	32	50	25	●	34	47	44
49	24	33	●	26	●	45	●	46
48	38	●	51	●	20	●	27	40
1	●	6	12	●	13	4	●	●
3	5	●	●	14	●	●	11	9
●	●	2	7	●	8	16	●	15
29	30	●	19	●	18	●	42	41
36	●	55	●	53	●	28	43	22
35	23	54	●	52	17	10	37	21

313 解答

2	4	1	3	6	5	9	7	8
9	7	6	1	4	8	5	3	2
3	5	8	7	9	2	4	1	6
1	9	2	4	8	6	3	5	7
5	6	4	2	7	3	8	9	1
8	3	7	5	1	9	2	6	4
4	2	9	6	5	1	7	8	3
6	8	3	9	2	7	1	4	5
7	1	5	8	3	4	6	2	9

314 解答

4	8	3	2	9	6	1	7	5
5	9	6	1	7	4	8	3	2
1	7	2	3	5	8	6	4	9
9	1	7	6	8	2	4	5	3
6	4	8	7	3	5	2	9	1
2	3	5	9	4	1	7	6	8
8	5	9	4	1	7	3	2	6
7	2	1	5	6	3	9	8	4
3	6	4	8	2	9	5	1	7

315 解答

6	4	5	8	2	7	3	9	1
9	2	3	4	1	5	7	6	8
8	7	1	9	6	3	5	2	4
1	9	6	7	3	8	4	5	2
3	5	4	1	9	2	8	7	6
7	8	2	5	4	6	1	3	9
2	6	8	3	5	4	9	1	7
4	3	9	6	7	1	2	8	5
5	1	7	2	8	9	6	4	3